새 교육과정 3~4학년 STEAM 과학

초등 4·1

개념

교과서 핵심 내용을 간결하면서도 이해하기 쉽게 설명해 놓았습니다. 또한, 풍부한 시각 자료가 있어 개념이 확실히 잡히도록 구성하였습니다.

개념 더하기

교과서 개념을 이해하는 데 도움이 되는 설명들로 구성하였습니다.

탐구

단원의 중요 탐구를 제시하여 중요 내신형 탐구 문제를 쉽게 해결할 수 있도록 구성하였습니다.

용어 풀이

한자의 뜻을 알면 용어의 뜻을 잘 이해할 수 있어 과학 용어를 잘 기억할 수 있습니다.

더 알아보기

학교 시험에 나올 수 있는 문제를 대비하여 교과서 개념을 응용하거나 적용된 실생활 내용으로 구성하였습니다.

생활 속 과학

새 교육과정의 융합인재교육(STEAM)에서 강조하고 있는 생활 속 과학을 교과서 개념이 적용된 내용으로 구성하였습니다.

문제 구성

교과서 핵심 내용 파악을 확실히 했는지 확인하기 위한 객관식 문제 유형과 서술형 문제 유형을 구성하였습니다. 또한 새 교육과정에서 강조하는 융합인재교육(STEAM)을 위한 융합사고력 문제 유형과 STEAM 실험실로 탐구력 향상 문제 유형을 구성하였습니다.

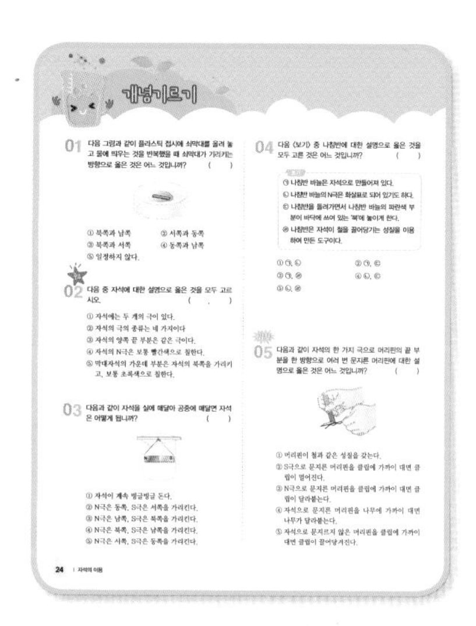

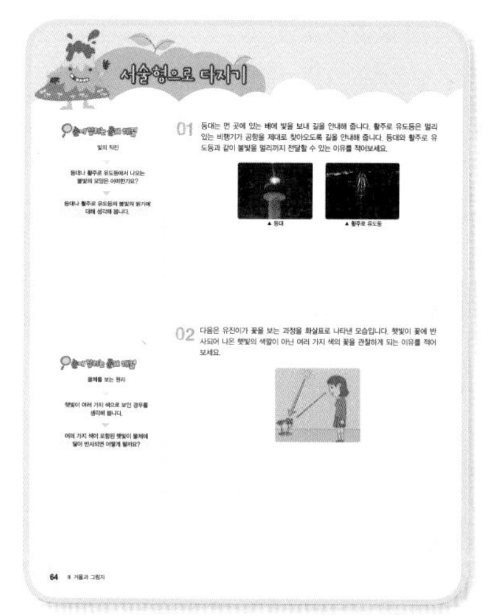

개념 기르기

개념을 확실히 파악했는지 학교 시험에 잘 나올만한 문제를 통해 기초를 튼튼히 기를 수 있도록 구성하였습니다.

서술형으로 다지기

학교 시험에서 마지막에 등장하는 서술형 문제를 집중적으로 연습할 수 있고, 문제를 해결하기 위한 사고의 흐름을 손에 잡히는 문제 해결로 제시하여 문제해결력을 다질 수 있도록 구성하였습니다.

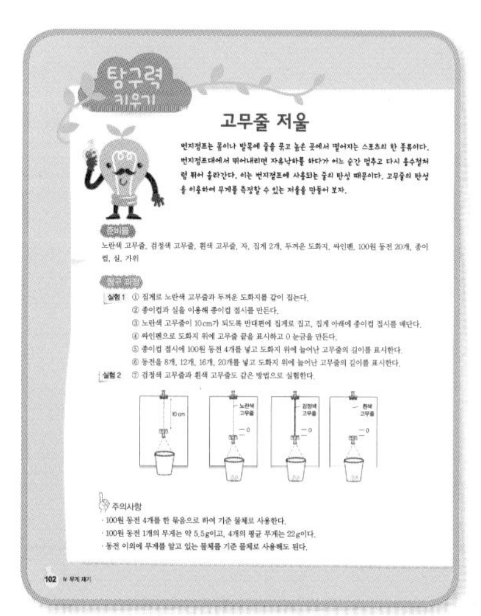

융합사고력 키우기

창의 서술형 평가로 새롭게 등장한 융합형(STEAM) 문제를 대비할 수 있도록, 신문기사(NIE), 실생활 속 제품, 과학사 등의 지문을 이용하여 서술형 문제와 논술형 문제를 넣고, 손에 잡히는 문제 해결로 융합적 사고의 흐름을 제시하여 융합사고력을 키울 수 있도록 구성하였습니다.

탐구력 키우기

새 교육과정으로 등장한 단원별 마무리 STEAM 활동처럼 단원을 STEAM 탐구로 마무리할 수 있도록 구성하였습니다.

문제 구성 속 아이콘

ⓐ 개념 속 빈칸

눈으로만 보는 개념보다 빈칸을 채워가며 완성하는 개념이 학습에 도움이 됩니다. 이를 위해 핵심 개념에 빈 칸을 넣어 구성하였습니다.

정답 개념 속 빈 칸 정답

빈칸을 채워가며 개념을 완성하는 데 정답 확인이 번거롭지 않도록 개념 페이지 하단에 정답을 넣었습니다. 답을 바로바로 확인하면서 개념 페이지를 완성할 수 있습니다.

중요

출제 빈도가 높은 문제에는 중요 아이콘을 표시했습니다. 이 문제는 확실히 이해하고 넘어가도록 합니다.

신유형

새 교육과정에 맞춰 새롭게 등장한 유형으로 학교 시험 예상 문제입니다.

논술형

최근 창의 서술형 평가로 새롭게 등장한 논술형 문제를 대비할 수 있도록 구성하였습니다.

차례

물체의 무게

혼합물의 분리

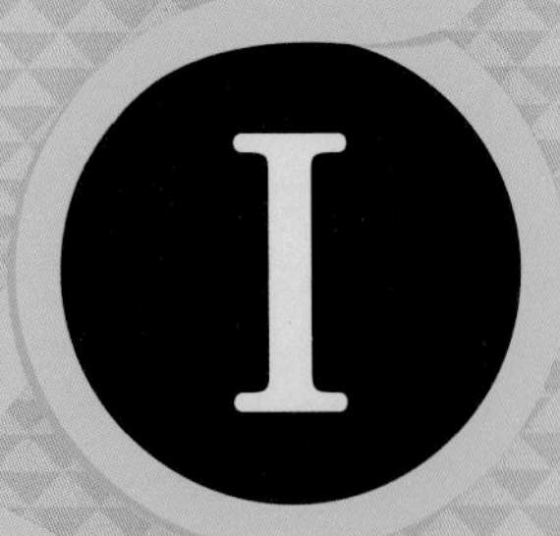

I 지층과 화석

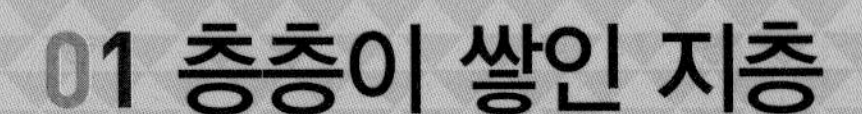

01 층층이 쌓인 지층

02 지층 속에 남아 있는 생물의 흔적

이 단원의 주요 내용

지층과 퇴적암, 화석에 대해 다룬다.
지층과 화석은 지구의 역사와 퇴적 당시의
상황을 추리할 수 있는 단서가 되고, 이를 통해
당시의 자연환경이나 생물 종의
변화를 알 수 있다.

★ 2015 개정 교육과정 교과서

초등 3~4학년 군 :
4학년 1학기 1단원 지층과 화석

★ 다른 학년과의 연계

초등 3~4학년 군 : 지구의 모습, 지표의 변화,
화산과 지진
중학교 1~3학년 군 : 지구계와 지권의 변화

01 자갈, 모래, 진흙 등이 층층이 쌓인 지층

1 여러 가지 모양의 지층

1. 지층

① ⓐ______ : 자갈, 모래, 진흙 등이 층층이 쌓여 있는 것으로, 주로 퇴적암에서 나타난다.

② 지층은 오랜 시간이 지나면 지구 내부에서 힘을 받아 모양이 변하기도 한다.

2. 여러 가지 모양의 지층

수평한 지층	기울어진 지층	휘어진 지층(습곡)	끊어져서 이동한 지층(단층)
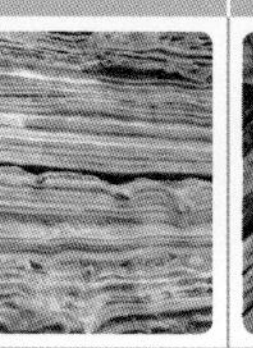	  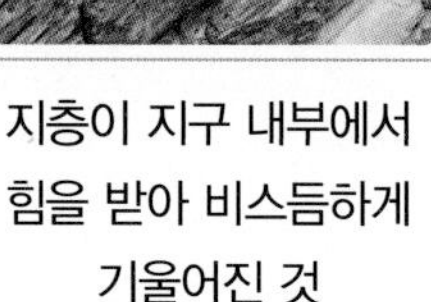		
암석이 여러 겹의 층으로 수평하게 쌓인 것	지층이 지구 내부에서 힘을 받아 비스듬하게 기울어진 것	지층이 지구 내부의 힘을 받아 물결 모양으로 휘어진 것	지층이 지구 내부의 힘을 받아 위아래로 어긋난 것

3. 지층의 특징

① 지층에는 나란한 줄무늬인 ⓑ______가 있다.

② 지층 속에 있는 암석의 알갱이 크기와 색깔이 층마다 서로 다르다.

③ 지층의 같은 층에는 크기와 색깔이 비슷한 알갱이들이 모여 있다.

★더 알아보기 실제 지층이 만들어지는 과정

실제 지층이 만들어지는 과정

① 자갈, 모래, 진흙 등이 흐르는 물에 의해 깊은 강이나 바다로 운반된다.

② 운반된 물질은 강바닥이나 바다 밑에 쌓인다.

③ 쌓인 층 위에 또 다른 층이 쌓인다.

④ 오랜 시간이 지나면 단단해진 지층이 만들어진다.

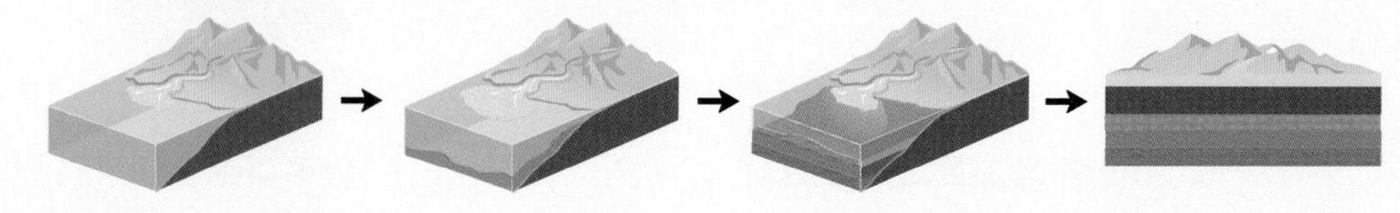

퇴적물이 쌓이는 순서

작고 가벼운 알갱이는 멀리까지 운반되지만, 크고 무거운 알갱이는 멀리 가지 못하고 빨리 가라앉는다. 따라서 육지와 맞닿아 있는 하천이나 바다의 밑바닥에서는 굵은 알갱이들이 주로 발견되고, 육지와 멀리 떨어진 곳이나 호수의 한 가운데에는 작은 알갱이들이 많이 모인다.

바다 육지 자갈 모래 진흙

개념 더하기

● **지층을 이루는 알갱이가 서로 다른 까닭**

퇴적물이 쌓여 지층이 만들어지는 장소와 환경이 다르기 때문이다.

- **자갈을 볼 수 있는 지층** : 강의 상류에 있는 큰 돌이 홍수에 떠내려와 만들어진 지층
- **모래를 볼 수 있는 지층** : 강의 중류나 하류에 있던 모래가 물에 의해 바다까지 떠 내려와 만들어진 지층
- **진흙을 볼 수 있는 지층** : 강의 하류나 바닷가의 갯벌에 있던 진흙이 물이나 바람에 의해 먼 바다 밑이나 낮은 곳까지 떠 내려와 만들어진 지층

용어 풀이

지층(땅 地, 층 層)
자갈, 모래, 진흙 등이 지표면에 퇴적하여 층을 이루는 것

암석(바위 巖, 돌 石)
지구 표면을 구성하고 있는 단단한 물질

층리(층 層, 다스릴 理)
퇴적물이 층을 이루며 쌓이는 것

정답

ⓐ 지층 ⓑ 층리

2 지층이 만들어지는 과정

1. 지층 모형 만들기

★탐구 지층 모형 만들기

탐구 과정

① 식빵을 종이 접시에 올리고 숟가락으로 식빵에 잼을 바른다.
② 다른 색깔의 식빵을 올리고 잼을 바르는 과정을 반복하여 층층이 겹친다.
③ 플라스틱 칼로 식빵 가운데를 자른다.

탐구 결과 및 결론

① 여러 가지 색깔의 식빵이 층층이 쌓여 있다.
② 먼저 쌓인 것은 아랫부분에, 나중에 쌓인 층은 윗부분에 있다.
③ 지층은 가장 ⓐ______ 있는 층이 먼저 쌓인 것이다.

2. 실제 지층과 식빵으로 만든 지층 비교

구분	실제 지층	식빵으로 만든 지층
모습	㉥ ㉤ ㉣ ㉢ ㉡ ㉠	㉥ ㉤ ㉣ ㉢ ㉡ ㉠
차이점	• ⓑ______ 시간에 걸쳐 만들어졌다. • 큰 힘으로 눌려 있었기 때문에 ⓒ______하다.	• 짧은 시간 동안에 만들어졌다. • 부드러운 재료로 만들어져 단단하지 않다.
공통점	• 여러 가지 색깔의 층이 층층이 수평으로 쌓여 있다. • 각 층마다 색깔이 다르고, 줄무늬가 있다. • 아래에 있는 층이 위에 있는 층보다 ⓓ______ 쌓인 것이다. • 쌓인 순서 : ㉠ → ㉡ → ㉢ → ㉣ → ㉤ → ㉥	

★더 알아보기 암석과 지층

- **암석** : 자연의 고체 알갱이들이 모여 단단하게 굳어진 덩어리로 흔히 돌이라고 부른다.
- **지층** : 암석이 여러 층로 쌓여 있는 것이다.

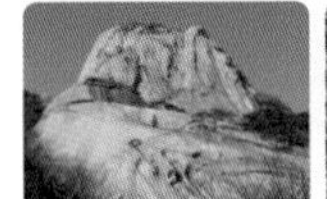
▲ 암석

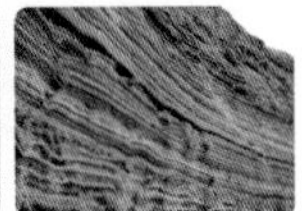
▲ 지층

개념 더하기

● **지층 누중의 법칙**
식빵으로 만든 지층에서 접시 위에 먼저 놓은 식빵이 가장 아래에 있듯이, 지층도 아래에 있는 것이 먼저 쌓인 것이다. 이러한 원리를 '지층 누중의 법칙'이라고 한다.

● **지층 내부를 연구하는 방법**
실제로 지층의 상태를 알아보기 위해서는 지하의 암석을 뚫고 들어갈 수 있는 가늘고 긴 원통 모양의 강한 금속으로 된 도구(코어)를 이용하여 암석을 채취한다. 코어를 통해 지하 지층의 상태와 지층을 이루고 있는 암석의 성분을 알 수 있다.

▲ 코어 시추

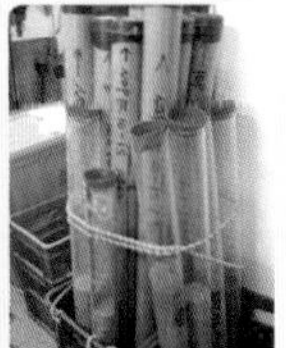
▲ 코어 샘플

정답
ⓐ 아래 ⓑ 오랜 ⓒ 단단
ⓓ 먼저

01 층층이 쌓인 지층

3 퇴적암

1. 퇴적물과 퇴적암

① ⓐ________ : 물이나 바람으로 부서진 자갈, 모래, 진흙 등이 쌓인 것

② ⓑ________ : 퇴적물이 오랜 시간 단단하게 다져져 만들어진 암석

2. 여러 가지 퇴적암

구분	이암	사암	역암	석회암
모습				
정의	알갱이의 크기가 진흙처럼 ⓒ___은 것이 굳어져서 된 암석	알갱이 크기가 진흙보다 큰 ⓓ____로 이루어진 암석	자갈 크기의 돌멩이와 모래, 진흙으로 이루어진 암석	바다 속의 석회질 성분이 가라앉아 쌓여서 만들어진 암석
촉감	부드럽다.	약간 거칠다.	다양하다.	부드럽다.
알갱이 크기	작아서 잘 보이지 않는다.(0.1 mm 이하)	보통(~2 mm 정도)	크다.(2 mm 이상)	보이지 않는다.
색깔	여러 가지	여러 가지	여러 가지	검회색, 검은색, 회색 등
기타	충격을 주면 덩어리 모양으로 깨진다.	층리가 거의 없다.	굵은 자갈이 분명하게 보인다.	묽은 염산을 뿌리면 거품(이산화 탄소)이 발생한다.

★더 알아보기 퇴적암이 만들어지는 과정

① 햇빛, 비, 바람 등에 의해 암석이 부서진다.
② 바위가 작은 돌로 부서진다.
③ 더 작은 자갈이나 모래로 된다.
④ 흐르는 물에 의해 운반된다.
⑤ 강이나 바다에 쌓인다.
⑥ 새로 쌓이는 퇴적물에 의해 눌러진다.
⑦ 퇴적물이 눌러져 부피가 줄어들고 다져진다.
⑧ 퇴적물이 퇴적암이 된다.

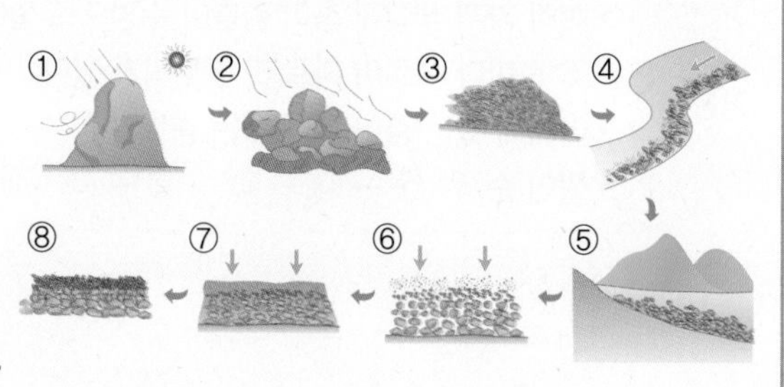

개념 더하기

● 퇴적물이 쌓이는 과정
- 퇴적물은 풍화 작용에 의해 만들어진다.
- 풍화에 의해 생긴 암석 조각들이 흐르는 물, 지하수, 바람, 빙하, 바닷물 등에 의해 운반되어 쌓인다.

용어 풀이

- **진흙**: 빛깔이 붉고 차진 흙
- **모래**: 돌이 저절로 잘게 부스러진 아주 작은 알갱이
- **자갈**: 강이나 바다의 바닥에서 오랫동안 갈리고 물에 씻겨 반질반질하게 된 작은 돌

정답
ⓐ 퇴적물 ⓑ 퇴적암
ⓒ 작 ⓓ 모래

3. 퇴적암 모형 만들기

★탐구 퇴적암 모형 만들기

탐구 과정

① 플라스틱 컵에 모래를 넣고 물풀을 넣어 반죽한다.
② 반죽을 작은 플라스틱 컵에 옮겨 담고, 나무 막대로 누른다.
③ 하루 동안 모래 반죽을 그대로 놓아둔 다음 꺼내어 관찰한다.

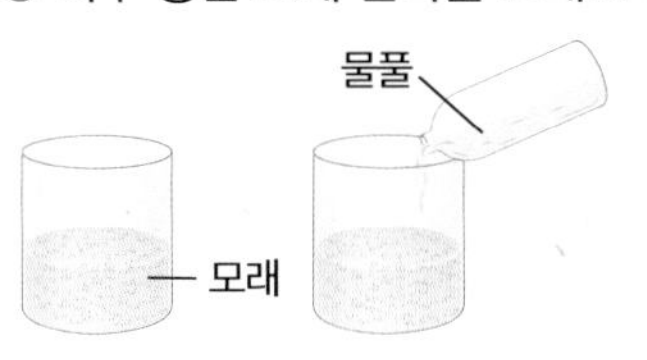

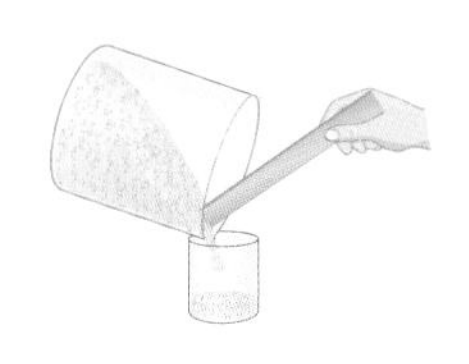

탐구 결과 및 결론

① 플라스틱 컵에 물풀을 넣으면 모래 알갱이들 사이의 공간이 채워져 엉겨 붙는다.
② 나무 막대로 모래 반죽을 누르면 알갱이들 사이의 공간이 줄어들고 다져진다.
③ 하루가 지나면 모래 반죽이 단단하게 굳어져 딱딱해진다.
④ 퇴적물이 오랜 시간 동안 다져지면 단단한 ⓐ______이 된다.

4. 실제 퇴적암과 퇴적암 모형 비교

구분	실제 퇴적암	퇴적암 모형
차이점	• ⓑ______ 시간 동안 만들어졌다. • 단단하다.	• 짧은 시간 동안에 만들어졌다. • 실제 퇴적암보다 덜 단단하다.
공통점	• 사암과 모양이 비슷하다.	

▲ 퇴적암 모형

4 지질 답사

1. 지층을 볼 수 있는 곳

산, 바다, 강가의 절벽, 공사로 인하여 산이 깎인 언덕, 산사태로 무너진 산비탈

2. 지질 답사

① ⓒ______ 답사 : 지층과 암석을 관찰하는 것

② 지질 답사 방법

• 지층의 모습이나 암석 등을 그림으로 그리거나 사진을 찍어둔다.
• 관찰한 특징을 관찰 기록장에 정리한다.

③ 지질 답사 준비물 : 지도, 암석 망치, 돋보기, 줄자, 암석 표본 주머니, 사진기, 관찰 기록장, 연필, 구급약, 안전모, 긴 옷, 운동화 등

개념 더하기

● **물풀의 역할**

물풀은 퇴적물 알갱이 사이의 공간을 채워 알갱이들이 서로 엉겨 붙게 하는 작용을 한다. 실제 퇴적암이 만들어질 때는 지하수에 녹아 있는 물질이 물풀의 역할을 한다.

● **세상에서 가장 가치 있는 돌, 운석**

• 운석 : 태양과 행성이 있는 공간을 떠도는 작은 암석 덩어리가 지구에 이끌려 지표면에 떨어진 것이다.
• 운석의 가치 : 지구 내부와 비슷한 물질로 구성되어 있어서, 지구 내부의 물질을 연구하는 자료로 이용된다.

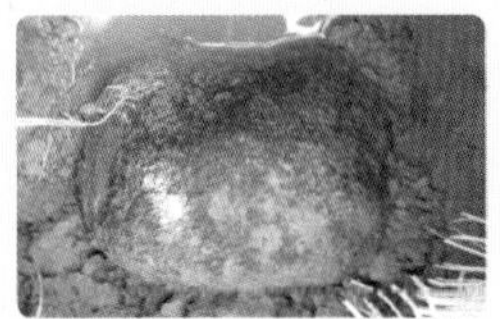
▲ 진주에서 발견된 운석

용어 풀이

✓ **지질(땅 地, 바탕 質)**
땅의 성질이나 지층의 상태

정답

ⓐ 암석 ⓑ 오랜 ⓒ 지질

개념기르기

01 다음 〈보기〉 중 지층을 모두 고른 것은 어느 것입니까? ( )

① ㉠, ㉡
② ㉢, ㉣
③ ㉠, ㉡, ㉢
④ ㉠, ㉡, ㉣
⑤ ㉡, ㉢, ㉣

중요

02 다음과 같이 지층이 여러 가지 모양으로 변하는 이유로 옳은 것은 어느 것입니까? ( )

① 계절이 변하기 때문에
② 지층에 스며든 빗물 때문에
③ 강한 태풍으로 인한 바람 때문에
④ 인간이 자연을 훼손하였기 때문에
⑤ 지구 내부에서 여러 가지 힘을 받기 때문에

03 다음 중 지층을 본 모습에 대한 설명으로 옳지 않은 것은 어느 것입니까? ( )

① 나란한 줄무늬가 있다.
② 층에 따라 색깔이 서로 다르다.
③ 지층이 하나의 암석으로 되어 있다.
④ 같은 층에는 크기와 색깔이 비슷하다.
⑤ 층마다 암석 알갱이의 크기가 서로 다르다.

[04~05] 다음과 같이 식빵과 잼을 번갈아 올린 다음, 칼로 가운데를 잘랐습니다. 물음에 답하시오.

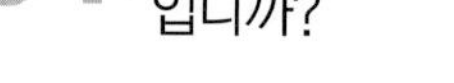
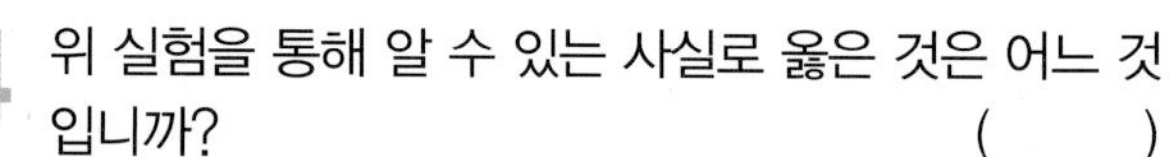

신유형

04 위 실험을 통해 알 수 있는 사실로 옳은 것은 어느 것입니까? ( )

① 지층이 끊어지는 과정
② 지층이 만들어지는 시간
③ 지층이 만들어지는 과정
④ 지층의 모양이 변하는 원인
⑤ 지층을 이루는 암석의 종류

05 위 실험으로 만든 지층과 실제 지층의 공통점으로 옳은 것을 모두 고르시오. (,)

① 단단하지 않다.
② 층의 두께가 같다.
③ 줄무늬를 볼 수 있다.
④ 오랜 시간에 걸쳐 만들어졌다.
⑤ 위에 있는 층이 아래에 있는 층보다 나중에 쌓인 것이다.

06 다음 글에서 설명하는 퇴적암으로 옳은 것은 어느 것입니까? ( )

- 알갱이의 크기가 진흙처럼 작다.
- 손으로 만지면 부드러운 느낌이 난다.
- 충격을 주면 덩어리 모양으로 깨진다.

① 이암 ② 사암
③ 역암 ④ 석회암
⑤ 현무암

07 다음 중 이암, 사암, 역암을 구분하는 기준으로 옳은 것은 어느 것입니까? ( )

이암

사암

역암

① 암석의 모양 ② 암석의 색깔
③ 암석의 크기 ④ 알갱이의 크기
⑤ 만들어진 시기

08 다음 중 석회암인지 알아보는 방법으로 옳은 것은 어느 것입니까? ( )

① 굵은 자갈이 보이는지 확인한다.
② 손으로 만졌을 때 약간 거친지 확인한다.
③ 이빨로 깨물어 흔적이 생기는지 확인한다.
④ 묽은 염산을 뿌려 거품이 발생하는지 확인한다.
⑤ 암석 망치로 충격을 주어 덩어리 모양으로 깨지는지 확인한다.

09 다음과 같이 플라스틱 컵에 모래와 물풀을 넣어 반죽한 다음, 작은 플라스틱 컵에 옮겨 나무 막대로 눌러 하루 동안 그대로 놓아 두었습니다. 이 실험에 대한 설명으로 옳은 것은 어느 것입니까? ( )

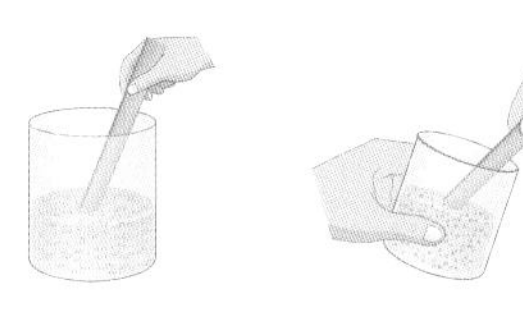

① 물풀은 실제 지층의 진흙과 같다.
② 하루 동안 그대로 두면 모래 반죽이 부서진다.
③ 층리가 만들어지는 과정을 알아보는 실험이다.
④ 실험에서 만든 퇴적암은 실제 퇴적암의 역암과 같다.
⑤ 나무 막대로 누르는 것은 퇴적물이 다져지는 작용과 비슷하다.

10 다음 중 지질 답사를 갈 때 지층의 모습이나 암석을 자세히 관찰하는 데 필요한 준비물로 옳은 것은 어느 것입니까? ( )

① 줄자 ② 안전모
③ 돋보기 ④ 보안경
⑤ 암석 망치

11 다음 중 지층을 쉽게 볼 수 있는 곳으로 옳지 <u>않은</u> 것은 어느 것입니까? ( )

① 바닷가
② 강가의 절벽
③ 산 정상 부근
④ 산사태로 무너진 산비탈
⑤ 공사로 인하여 산이 깎인 언덕

서술형으로 다지기

퇴적암에서 볼 수 있는 층리

▼

같은 물질이 계속 쌓여서 굳어지면 경계선을 볼 수 있나요?

▼

경계선을 보이려면 퇴적물이 어떻게 쌓여야 할까요?

01 다음과 같이 지층에는 지층 사이에 경계선이 있는 것을 볼 수 있는데, 이 경계선을 층리라고 합니다. 지층이 하나로 보이지 않고 경계선인 층리가 나타나는 이유를 적어보세요.

손에 잡히는 문제 해결

기호에 촉감을 표현할 수 있는 표시 방법을 생각해 봅니다.

▼

기호에 알갱이 크기를 표현하는 방법을 정합니다.

▼

기호에 못으로 긁었을 때의 차이를 어떻게 표현할지 정합니다.

02 다음은 알갱이의 크기만을 고려하여 사암과 역암을 기호로 나타낸 모습입니다. 이암, 사암, 역암의 특징을 모두 포함하는 기호를 고안하고 이를 직접 그려 설명해 보세요.

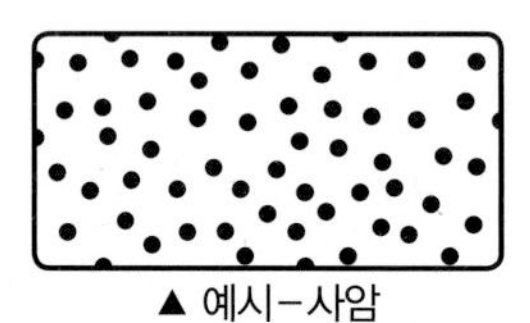

▲ 예시–사암

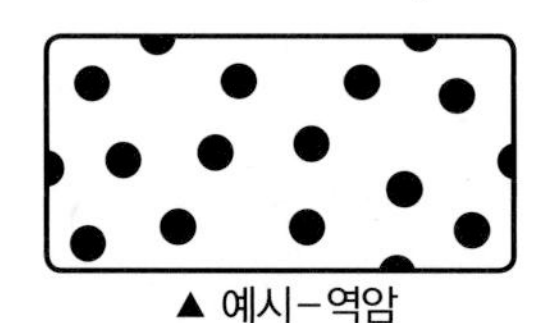

▲ 예시–역암

구분	이암	사암	역암
촉감	부드럽다.	약간 거칠다.	많이 거칠다.
알갱이 크기	잘 보이지 않는다.	눈에 띈다.	크다.
못으로 긁었을 때	잘 긁힌다.	약간 긁힌다.	잘 긁히지 않는다.

03 다음 (가)와 (나)는 퇴적물이 퇴적암으로 굳어지는 과정 중 어느 과정을 나타낸 것인지 각각 이유와 함께 적어보세요.

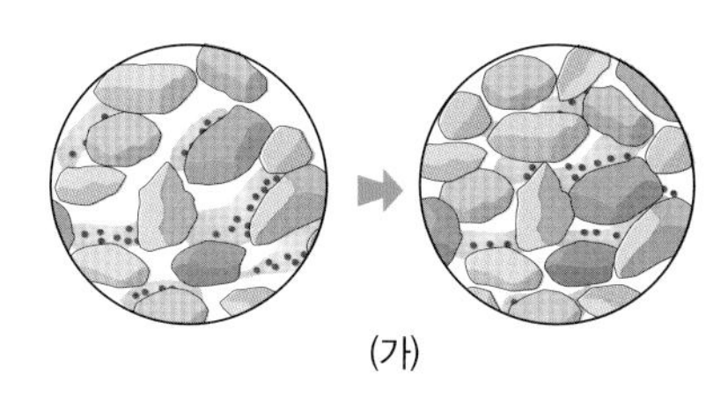
(가)

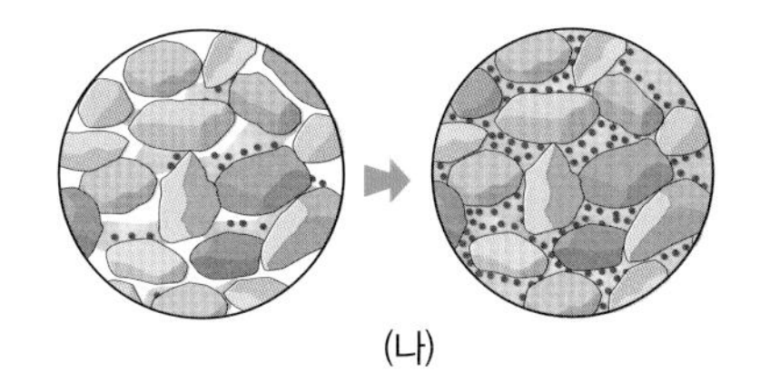
(나)

손에 잡히는 문제 해결

퇴적암이 굳어지는 과정

(가)와 같이 되려면 어떤 힘이 작용하여야 하나요?

(나)와 같이 서로 붙으려면 어떤 과정을 거쳐야 하나요?

논술형

04 다음과 같이 육지에 가까운 A 지역에서는 주로 자갈, B지역에서는 모래, 육지에서 먼 C 지역에서는 주로 진흙이 퇴적됩니다. A, B, C 지역에서 만들어지는 암석을 쓰고, 육지에서 멀어질수록 퇴적물의 크기가 작아지는 이유를 추리하여 적어보세요.

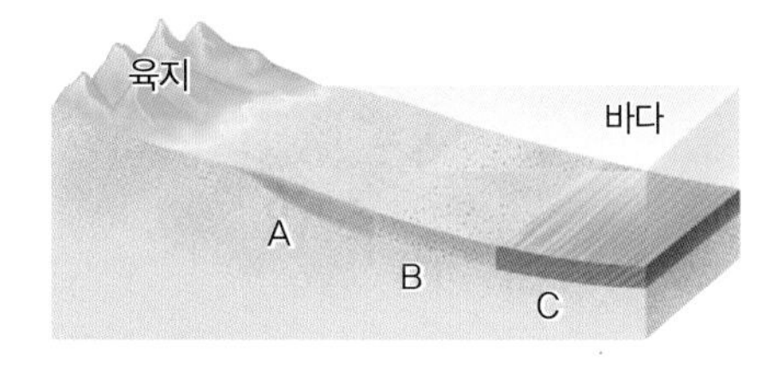

손에 잡히는 문제 해결

퇴적암의 종류 구분하기

육지에서 가까운 지역과 먼 지역의 물의 흐름은 어떻게 다를까요?

물 흐름의 빠르기에 따라 운반할 수 있는 알갱이의 크기는 어떻게 다를까요?

융합사고력 키우기

STEAM

✓ Science
▶ 역암

✓ Technology
▶ 지질과 지형

Engineering

Art

Mathmatics

말의 귀를 닮은 마이산

진안고원에 우뚝 솟은 마이산은 지질과 지형 공부를 하기에 좋은 산이다. 콘크리트를 버무려놓은 듯한 거대한 바위에 숭숭 뚫린 구멍이 매력적이다. 이 구멍은 풍화 작용으로 역암이 지표에 노출되면서 자갈이 빠져나가고 남은 타포니(구멍바위)다.

마이산(전북 진안군)은 '말의 귀(馬耳)'처럼 생겼다고 해서 붙은 이름이다. 두 봉우리는 쫑긋 귀를 세우고 서로 등을 돌린 채 동서쪽을 향해 앉아 있으며, 각각 암마이봉(673 m)과 숫마이봉(667 m)으로 불린다. 보는 각도에 따라 모습이 달라 용각봉, 돛대봉, 문필봉이라고도 부른다.

마이산은 약 1억 년 전 퇴적층이 쌓인 호수바닥이 지각변동으로 솟아올라 생겼다. 이렇게 지표에 노출된 역암이 풍화와 침식 작용을 받으면서 자갈이나 바위가 빠져나와 구멍이 생겼으며, 이러한 지형을 타포니라고 한다. 마치 폭격을 맞은 듯 움푹 패인 마이산은 세계적인 타포니 지형이다.

마이산 타포니 지형

1 퇴적물 중에 크기가 2 mm 이상인 입자가 많은 암석으로 주로 자갈로 구성되어 있는 퇴적암을 무엇이라고 하나요?

용어 풀이

✓ **지각변동**
지구 내부 힘에 의해 지각을 위아래 또는 오른쪽 왼쪽으로 이동하게 하거나 변형시키는 운동

✓ **퇴적층**
퇴적 작용에 의해 만들어진 지층

2 자갈이나 바위가 빠져나가 구멍이 숭숭 뚫린 마이산의 타포니 지형은 남쪽 사면에 발달해 있습니다. 타포니 지형이 만들어진 풍화 작용의 원인이 무엇인지 타포니 지형이 마이산에 발달한 위치를 참고하여 적어보세요.

타포니 지형은 무엇인가요?

북쪽과 남쪽 중에 햇빛을 더 잘 받는 곳은 어디인가요?

겨울에 바위 틈에 있는 물이 얼었다 녹았다하면 바위가 어떻게 되나요?

논술형

3 마이산에 위치한 은수사라는 절의 마당에는 한 겨울에 그릇에 물을 떠서 놓으면 고드름이 하늘로 자라는 신비한 현상이 나타납니다. 고드름이 위로 자라는 이유를 추리하여 적어보세요.

손에 잡히는 STEAM

고드름이 아래로 자라는 이유는 무엇일까요?

은수사 마당에서 고드름이 위로 자라는 이유를 생각해 봅니다.

은수사 마당에서 바람의 방향은 어디일까요?

역고드름

지질 시대에 살았던

02 지층 속에 남아 있는 생물의 흔적

1 여러 가지 화석 관찰하기

1. 화석

① ⓐ______ : 지질 시대에 살았던 생물의 몸체나 흔적이 암석이나 지층 속에 남아 있는 것

② 동물 화석과 식물 화석

- 동물 화석 : 현재 살고 있는 동물과 비슷하다.

▲ 물고기 화석

▲ 조개 화석

▲ 암모나이트 화석

▲ 삼엽충 화석

- 식물 화석 : 현재 살고 있는 식물과 비슷하다.

▲ 고사리 화석

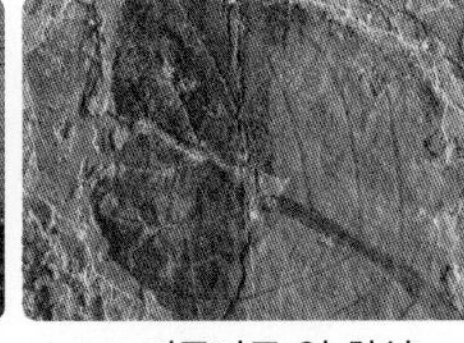
▲ 미루나무 잎 화석

▲ 은행나무 잎 화석

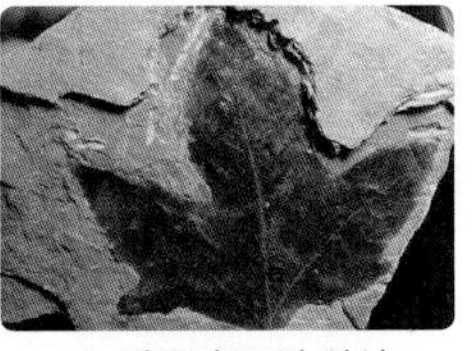
▲ 단풍나무 잎 화석

③ 화석이 주로 발견되는 암석 : 퇴적암

2 화석의 생성 과정

1. 화석이 만들어지는 데 필요한 조건

① 생물의 몸체나 그 흔적이 퇴적물 위에 남겨져야 한다.

② 그것이 굳어진 뒤 나중에 다시 노출되어야 한다.

2. 화석의 생성 과정

① 바다에 살던 삼엽충이 바닥에 가라앉는다.

② 바람이나 물에 의하여 운반된 ⓑ______이 삼엽충 위에 쌓인다.

③ 퇴적물이 계속 쌓여 오랜 시간이 지나면 삼엽충의 몸체가 ⓒ______으로 변한다.

④ 풍화나 침식 작용으로 지층이 ⓓ______면 삼엽충 화석이 지층 위로 드러난다.

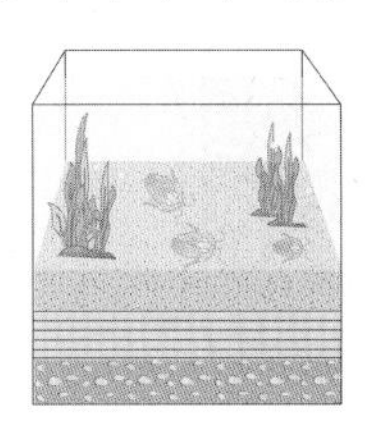

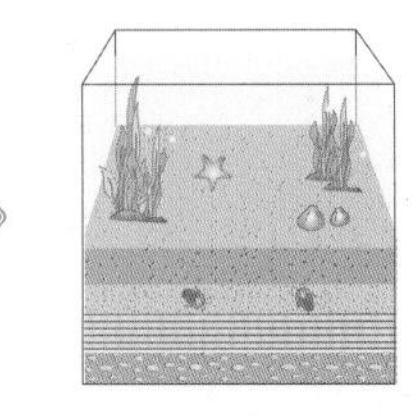

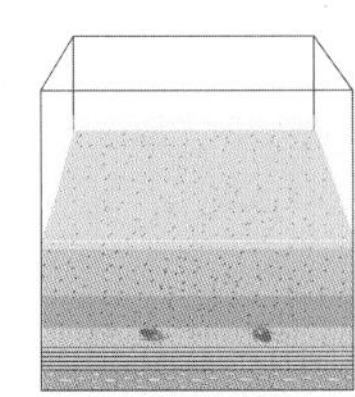

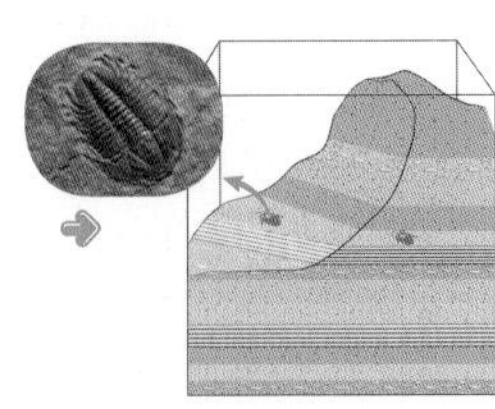

개념 더하기

● 지질 시대

지구에 가장 오래된 암석이 만들어진 약 35억 년 전부터 인류가 나타난 약 1만 년 전까지의 시기를 말한다.

● 화석과 화석이 아닌 것

- 화석 : 과거에 살았던 생물의 몸체나 흔적
- 화석이 아닌 것 : 토기나 고인돌처럼 과거에 살았던 생물의 몸체나 흔적이 아닌 것

▲ 토기

▲ 고인돌

용어 풀이

화석(될 化, 돌 石)
지질 시대에 생존한 동식물의 유해와 활동 흔적이 퇴적물에 보존되어 남아 있는 것

암모나이트
중생대에 매우 번성했던 생물로 물속에서 수영을 하며 살았을 것으로 추측하고 있다.

정답

ⓐ 화석 ⓑ 퇴적물 ⓒ 화석 ⓓ 깎이

3. 나만의 화석 만들기

★탐구 나만의 화석 만들기

탐구 과정

① 사각 그릇에 알지네이트 반죽을 넣는다.
② 알지네이트 반죽 위에 동식물 모형을 놓고 살짝 누른다.
③ 알지네이트가 고무처럼 굳으면 동식물 모형을 떼어낸다.
④ 알지네이트 위에 생긴 동식물 자국이 모두 덮이도록 석고 반죽을 붓는다.
⑤ 석고가 다 굳으면 알지네이트를 석고에서 떼어낸다.

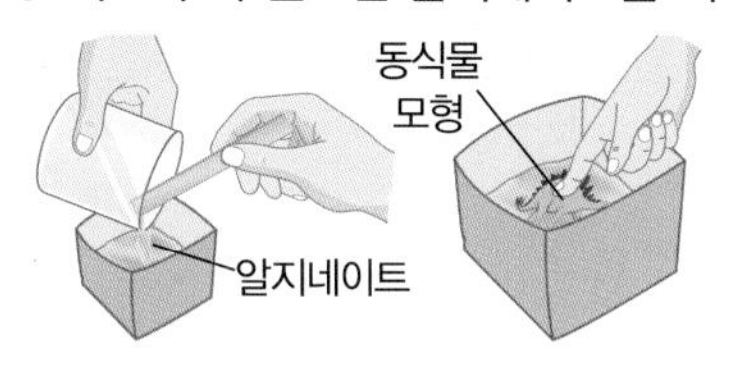

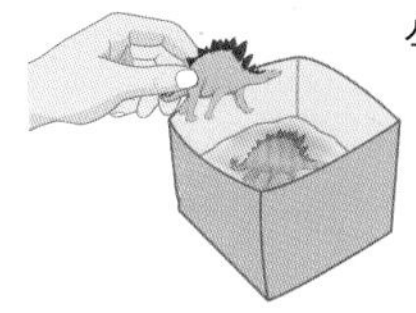

탐구 결과 및 결론

① 알지네이트에 동식물 모형의 ⓐ______이 뚜렷하게 나타난다.
② 알지네이트에 동식물 모형의 색은 나타나지 않는다.

4. 나만의 화석 모형과 실제 화석 비교하기

나만의 화석	알지네이트와 석고	동식물 모형	손으로 누르는 힘
실제 화석	ⓑ______	퇴적물 속에 묻힌 생물	지층이 받는 힘

★더 알아보기 화석의 종류

지금까지 발견된 화석의 종류는 약 25만 종이다. 우리는 화석을 생각하면 흔히 퇴적물과 함께 퇴적되어 동식물의 모양이나 모습이 나타난 것을 생각한다. 이런 화석을 체화석이라고 한다. 그러나 화석에는 체화석 이외에도 다양한 종류가 있다.

- **흔적 화석** : 공룡의 발자국이나 벌레가 땅을 판 자국처럼 생물이 살았던 모습을 보여주는 화석
- **미화석** : 박테리아 같은 작은 생물이 죽어서 만들어진 것으로 눈으로 볼 수 없을 만큼 작은 화석
- **규화목** : 나무가 퇴적물에 묻힌 후 지하수의 영향으로 원래 나무 성분이 사라지고 그 자리에 지하수에 들어 있던 물질(규산염)로 채워져, 모양만 나무이고 속은 규산으로 채워진 단단한 나무 모양의 화석
- **호박 화석** : 부러진 소나무 가지 끝에서 나오는 끈적한 액체(송진)에 모기 같은 각종 곤충이나 거미가 빠져 죽은 후 시간이 지나 송진이 굳어서 단단해진 것

▲ 흔적 화석 (공룡 발자국)

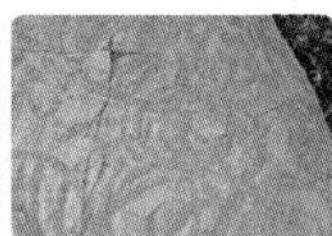
▲ 흔적 화석 (벌레가 지나간 자국)

▲ 미화석 (해양생물)

▲ 규화목

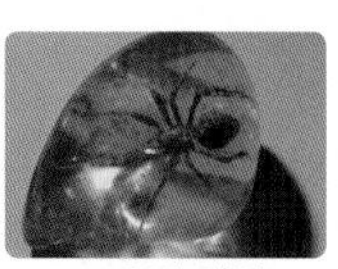
▲ 호박 화석

개념 더하기

● 몰드와 캐스트

- 몰드 : 알지네이트 반죽에 남은 동식물 자국으로, 알맹이 없이 겉모습만 남은 화석이다.
- 캐스트 : 석고 반죽에 남은 부분으로, 자국만 남은 몰드에 지하수의 성분이나 자갈, 모래 등 다른 퇴적물이 채워져 알맹이가 남은 화석이다.

● 공룡 발자국 화석 생성 과정

① 진흙으로 된 물렁물렁한 땅 위를 공룡이 지나가면서 발자국을 남긴다.
② 그 위에 퇴적물이 쌓이고, 발자국은 단단한 화석이 된다.
③ 지표면이 깎이면서 공룡 발자국이 드러난다.

용어 풀이

알지네이트
치과에서 치아 모형을 본뜨기 위해 사용하는 분홍색 가루

공룡(두려울 恐, 용 龍)
중생대에 번식했던 육상 파충류의 집단

정답

ⓐ 모양 ⓑ 지층

02 지층 속에 남아 있는 생물의 흔적

3 화석의 이용

1. 화석을 이용하여 알 수 있는 점

① 과거에 살았던 생물의 모양과 특징

- 공룡 화석을 보고 공룡의 모습을 알 수 있다.
- 공룡 뼈 화석을 보고 공룡의 크기를 알 수 있다.

② 과거 생물의 생활 모습

- 공룡알 화석을 보고 공룡이 알을 낳는 동물이었음을 알 수 있다.
- 공룡 발자국 화석을 보고 공룡이 걸어다니는 동물이었음을 알 수 있다.

③ 과거 그 지역의 자연 환경

- 산호 화석 : 과거에 얕고 따뜻한 ⓐ_____였음을 알 수 있다.
- 나뭇잎 화석 : 과거에 나무가 자랐던 ⓑ_____였음을 알 수 있다.
- 고사리 화석 : 기온이 따뜻하고 습기가 많은 곳이었다는 것을 짐작할 수 있다.

2. 화석 연료가 묻힌 위치

① ⓒ_____ : 우리가 연료로 사용하는 석유나 석탄처럼 과거의 생물에서 유래된 것

② 화석을 이용하여 화석 연료가 묻힌 위치 알아내기

- 석유나 석탄이 발견되는 지층에 특정한 화석이 포함되어 있는 경우가 많으므로, 이 화석을 이용하면 석유나 석탄이 나오는 지층을 쉽게 찾을 수 있다.
- 방추충 화석 : 석탄이 매장되어 있는 경우가 많다.

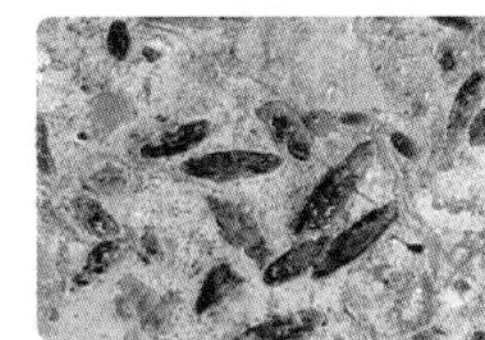

▲ 방추충 화석

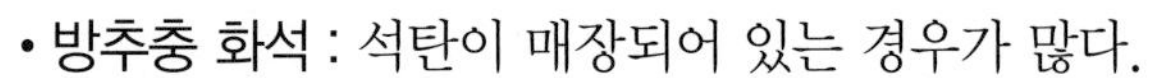

탐구 석탄 덩어리와 고사리 화석 관찰하기

탐구 과정

① 석탄 덩어리와 고사리 화석을 각각 관찰한다.

▲ 석탄 덩어리

▲ 고사리 화석

탐구 결과 및 결론

① 석탄 덩어리에서 ⓓ_____의 흔적을 찾을 수 있다.

② 석탄은 주로 고사리 층에서 형성된다.

개념 더하기

● 화석을 볼 수 있는 곳

과학관, 화석 박물관, 자연사 박물관 등

자연사 박물관

용어 풀이

✓ 습한
물기가 많아 축축한 상태

정답

ⓐ 바다 ⓑ 육지
ⓒ 화석 연료 ⓓ 식물

3. 멀리 떨어져 있는 지층 비교

① 멀리 떨어져 있는 층에서 같은 ⓐ______이 발견되면 두 지층은 같은 시기에 쌓인 지층이다.

② 화석이 나온 층을 기준으로 지층이 쌓인 순서를 알 수 있다.

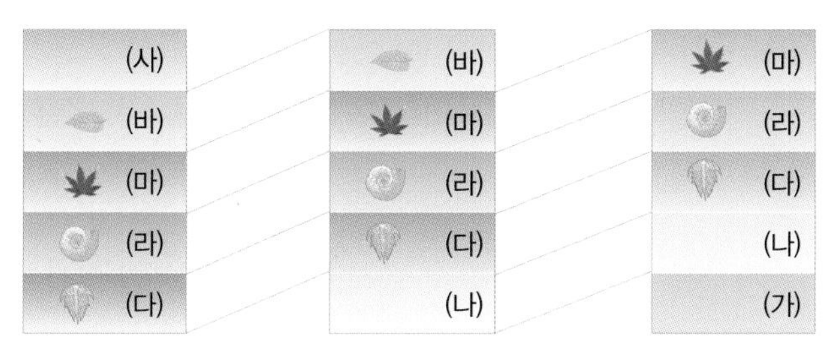

- 지층이 쌓인 순서 : ⓑ____ → (나) → (다) → (라) → (마) → (바) → (사)
- 화석이 만들어진 순서 : ⓒ________ 화석 → 암모나이트 화석 → 단풍나무 잎 화석 → 나뭇잎 화석

더 알아보기 화석 연료 생성 과정

- **석탄의 생성 과정 :** 고생대에 번성하던 대규모의 고사리류가 홍수에 의한 늪의 범람으로 퇴적층이 되고, 그 후 새로운 지층이 계속 퇴적되면서 높은 열과 압력을 받아, 식물체를 구성하던 수소와 산소 성분이 날아가고 탄소 성분만 남아 석탄으로 변한다.

- **석유의 생성 과정 :** 석유는 원유와 천연가스를 모두 가리키는 말로, 땅 속에 묻힌 동식물의 사체가 지하 깊은 곳에서 오랫동안 열과 압력을 받아 생성 된다. 땅에 묻힌 동식물의 사체는 온도에 따라서 다양한 형태의 석유가 된다. 땅의 온도가 60~120 ℃에서는 원유가 만들어지고 120~225 ℃에서는 천연가스가 만들어진다.

생활 속 과학 우리나라는 공룡 천국

지금까지 우리나라에서 공룡 화석이 발견된 곳은 50여 군데가 넘는다. 1972년 경상남도 하동에서 공룡알 화석이 처음 발견된 이후, 1980년부터는 공룡의 흔적이 무더기로 나오기 시작했다. 현재 우리나라는 세계적으로 유명한 공룡 발자국 화석 발굴지이다. 공룡 발자국 화석은 풀로 덮이지 않은 해안가, 하천 바닥, 도로를 만들려고 깎은 암벽 등에서 주로 발견된다. 머지않아 공룡 뼈 화석도 많이 드러날 것으로 기대되고 있다.

▲ 경남 마산 고현리 공룡 발자국 화석

개념 더하기

◎ 고생물학자

- 화석을 연구하는 과학자이다.
- 화석이 어디에 있는지 찾고 화석이 나오면 조심스럽게 발굴한다.
- 발굴한 화석을 조사하여 어떤 시대에 어떤 환경에서 살았던 생물인지 밝혀낸다.

용어 풀이

발굴(필 發, 팔 掘)
땅속이나 큰 덩어리의 흙과 돌더미에 등에 묻혀 있는 것을 찾아서 파내는 것

정답

ⓐ 화석 ⓑ (가) ⓒ 삼엽충

개념기르기

01 다음 중 화석으로 볼 수 없는 것은 어느 것입니까? (　　)

① 호박 속의 곤충
② 이집트에 있는 미이라
③ 암석에 남아 있는 삼엽충
④ 얼음 속에서 발견된 매머드
⑤ 암석 속에 남아 있는 고사리

02 다음 (가)~(라)에 대한 설명으로 옳은 것을 모두 고르시오. (　　,　　)

(가) (나) (다) (라)

① (나), (라)는 식물 화석이다.
② (가)~(라)가 주로 발견되는 암석은 퇴적암이다.
③ (나)는 모양이 완전하지 않기 때문에 화석이 될 수 없다.
④ (가)는 현재 살고 있지 않은 생물이기 때문에 화석이 될 수 없다.
⑤ (다)는 현재 살고 있는 생물의 모습과 비슷하지 않기 때문에 화석이 아니다.

03 다음 〈보기〉는 화석이 생성되는 과정을 순서없이 나타낸 것입니다. 순서대로 바르게 나열한 것은 어느 것입니까? (　　)

보기
㉠ 죽은 생물이 강이나 바다 밑에 가라앉는다.
㉡ 죽은 생물 위로 퇴적물이 쌓인다.
㉢ 지층이 깎이면서 화석이 드러난다.
㉣ 퇴적물이 쌓여 몸체가 화석으로 변한다.

① ㉠ - ㉡ - ㉣ - ㉢
② ㉡ - ㉠ - ㉣ - ㉢
③ ㉢ - ㉡ - ㉠ - ㉣
④ ㉢ - ㉠ - ㉡ - ㉣
⑤ ㉣ - ㉢ - ㉠ - ㉡

04 다음은 알지네이트 반죽과 석고 반죽을 이용하여 만든 나만의 화석입니다. 이에 대한 설명으로 옳은 것을 모두 고르시오. (　　,　　)

① 알지네이트와 석고는 실제 화석에서 암석을 나타낸다.
② 알지네이트에 동식물 모형의 색이 뚜렷하게 나타난다.
③ 알지네이트에 동식물 모형의 모양이 뚜렷하게 나타난다.
④ 알지네이트 반죽 위에 동식물 모형을 놓고 누르는 것은 실제 화석에서 지층이 받는 힘과 같다.
⑤ 알지네이트 반죽에 남은 자국은 화석이지만 석고 반죽에 남은 자국은 화석이 될 수 없다.

05 다음 중 화석을 통하여 알 수 있는 점이 아닌 것은 어느 것입니까? ( )

① 생물이 살았던 시기
② 과거에 살았던 생물의 모습
③ 과거에 살았던 생물의 수
④ 과거에 살았던 생물의 생활 모습
⑤ 화석이 발견된 지역의 과거의 자연 환경

중요
06 다음 중 어느 지역에서 고사리 화석이 발견되었다면, 과거에 이 지역의 자연 환경으로 옳은 것은 어느 것입니까? ( )

① 얕고 따뜻한 바다
② 춥고 건조한 육지
③ 덥고 건조한 사막 지역
④ 따뜻하고 습기가 많은 육지
⑤ 햇빛이 잘 들지 않는 깊은 바다

07 다음 중 석탄이 매장되어 있는 지층에서 발견되는 화석으로 옳은 것은 어느 것입니까? ( )

① 조개 화석
② 물고기 화석
③ 방추충 화석
④ 은행나무 잎 화석
⑤ 암모나이트 화석

[08~09] 다음은 멀리 떨어져 있는 지층의 단면을 나타낸 것입니다. (가) 지층에는 나뭇잎 화석, (나)와 ㉠ 지층에는 단풍나무 잎 화석, (다)와 ㉡ 지층에는 암모나이트 화석, (라)와 ㉢ 지층에는 삼엽충 화석이 있습니다. 물음에 답하시오.

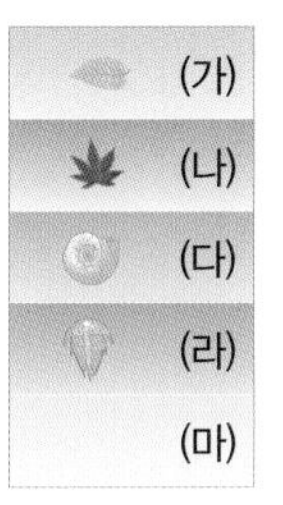

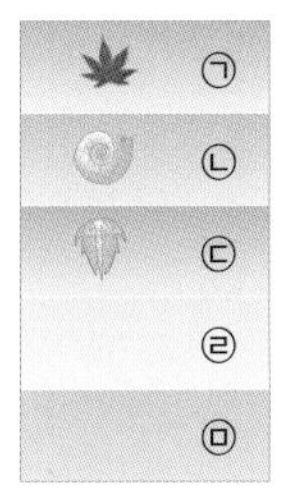

신유형
08 위의 두 지층에서 같은 시기에 쌓인 지층끼리 바르게 묶은 것은 어느 것입니까? ( )

① (가) - ㉤
② (나) - ㉣
③ (다) - ㉡
④ (라) - ㉣
⑤ (마) - ㉠

09 위 두 지층에 대한 설명으로 옳지 않은 것은 어느 것입니까? ( )

① 가장 먼저 만들어진 지층은 (가) 지층이다.
② 가장 최근에 만들어진 화석은 나뭇잎 화석이다.
③ 지층이 쌓인 순서와 화석이 만들어진 순서는 서로 같다.
④ (가) 지층은 과거에 나무가 자랐던 육지였음을 알 수 있다.
⑤ 오른쪽 지층은 ㉤ - ㉣ - ㉢ - ㉡ - ㉠ 순서로 지층이 쌓였다.

서술형으로 다지기

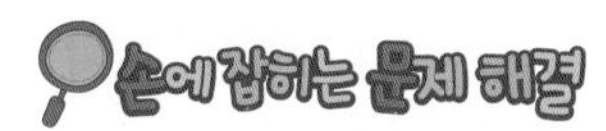

역암과 이암의 차이점 알기

자갈 속에 생물체가 묻히면 생물체가 잘 보존될까요?

진흙 속에 생물체가 묻히면 생물체가 잘 보존될까요?

01 다음은 화석이 발견되는 퇴적암 중 역암과 이암의 모습입니다. 두 암석 중 화석이 더 잘 발견되는 암석을 고르고, 그 이유도 함께 적어보세요.

▲ 역암

▲ 이암

손에 잡히는 문제 해결

지층의 생성 순서

세 지층에서 같은 지층을 찾고 만들어진 순서대로 나열해 봅니다.

지층 중 다른 지층에 비해 사라진 지층이 가장 많은 것을 찾아 봅니다.

02 다음은 비슷한 지역에 있는 A, B, C 지층의 단면을 나타낸 것이고 ㉠~㉣은 지층이 생성된 시기의 대표 화석입니다. 지층이 만들어질 때 시간적 단절이 가장 큰 지역은 어디였는지 이유와 함께 적어보세요.

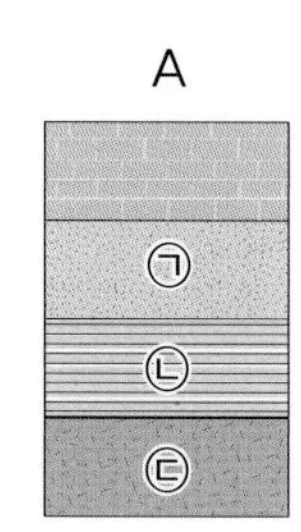

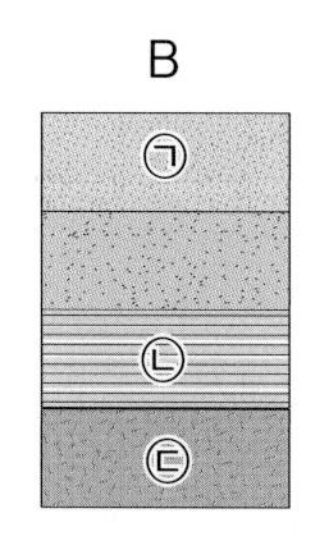

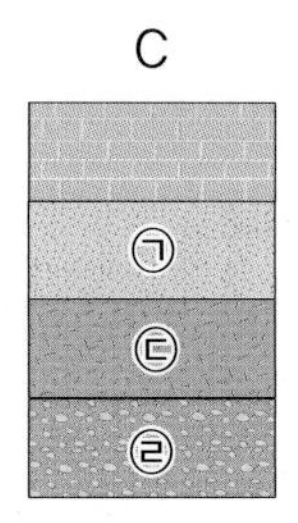

03 다음과 같이 어느 지역의 역암층에서는 B, C 화석, 사암층에서는 A, C 화석, 이암층에서는 A, C, D 화석이 발견되었습니다. A~D 화석이 모두 바다 생물의 화석일 때 가장 얕은 바다에 살았던 생물을 고르고, 그 이유를 함께 적어보세요.

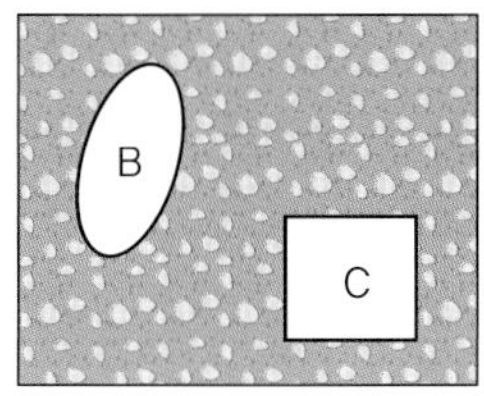

▲ 역암층

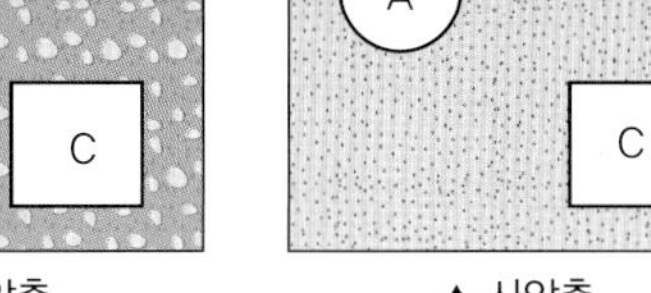

▲ 사암층

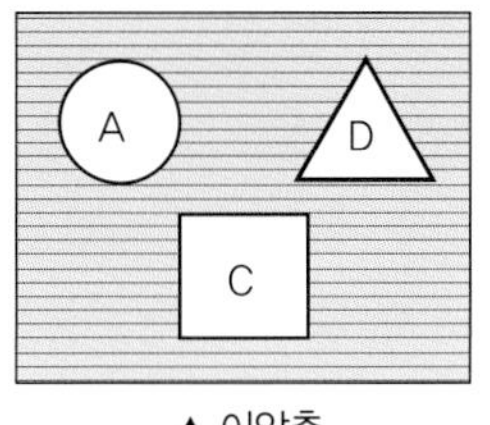

▲ 이암층

손에 잡히는 문제 해결

역암, 사암, 이암이 퇴적되는 장소

▼

가장 얕은 바다에서 만들어지는 퇴적암을 생각해 봅니다.

▼

가장 얕은 바다에서 만들어지는 퇴적암 층에 있는 화석은 무엇인가요?

04 석유, 석탄, 천연 가스와 같은 화석 연료는 현재 가장 많이 사용하는 에너지입니다. 하지만 화석 연료는 만들어지는 데 매우 오랜 시간이 걸리고 사용량이 많아 그 양이 계속 줄어들고 있습니다. 또한 많은 화석 연료의 사용으로 지구 온난화와 같은 환경 오염도 발생되고 있습니다. 화석 연료의 고갈과 환경 오염을 막기 위해 우리가 노력해야 할 것이 무엇인지 생각하여 5가지 이상 적어보세요.

화석 연료 고갈 문제

▼

화석 연료를 사용하여 만들어진 물건을 생각해 봅니다.

▼

화석 연료를 사용하는 물건을 생각해 봅니다.

융합사고력 키우기

STEAM

- ✓ Science
  - ▶ 화석
- ✓ Technology
  - ▶ 컴퓨터 시뮬레이션
- Engineering
- ✓ Art
  - ▶ 복원
- Mathmatics

나는야 2억 4200만 년 전 날치 조상

2억 4200만~2억 3500만 년 전 인도양 및 남아시아 지역에 살았던 날치의 조상 모습이 공개됐다. 중국의 과학일러스트레이터 '페이 시앙 우'는 2009년에 중국 서남부에서 발견된 화석을 토대로 중생대 트라이아스기 시대의 날치의 모습을 복원했다. 날치의 이름은 '포타닉시스 징구엔시스'다. 이제껏 발견된 가장 오래된 화석은 6500만 년 전 것이었으나 이 화석이 발견되면서 포타닉시스 징구엔시스는 물 위를 날았던 가장 오래된 척추동물 종이라는 기록을 남기게 됐다.

연구진에 따르면 포타닉시스 징구엔시스는 지금의 날치와 비슷하게 활강 능력이 있었던 것으로 보인다. 가슴에 있는 커다란 지느러미는 날개 역할을 하고 두 갈래로 갈라진 꼬리지느러미 중 아래쪽 긴 지느러미는 포타닉시스 징구엔시스가 물을 박차며 솟구칠 수 있게 도왔다.

날치 조상

▲ 포타닉시스 징구엔시스의 복원 모습

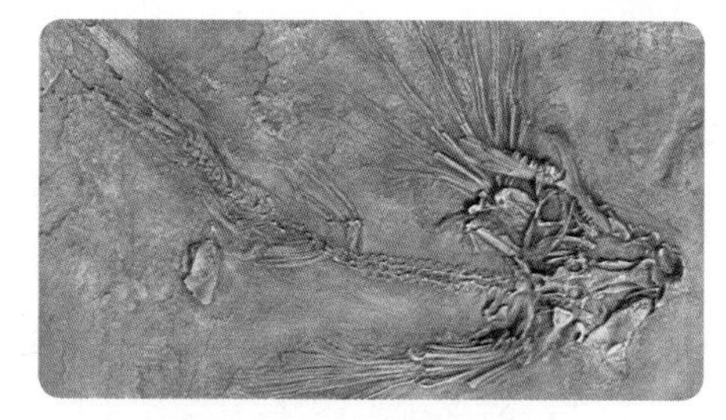
▲ 중국 서남부 지역에서 발견된 포타닉시스 징구엔시스의 화석

1 지질 시대의 퇴적암 속에 퇴적물과 함께 묻힌 동식물의 유해나 활동 흔적이 남아 있는 것을 무엇이라고 하나요?

용어 풀이

- **트라이아스기**
  중생대를 셋으로 나눈 것 중 첫번째 기간으로, 2억 3천만 년 전에서 1억 8천만 년 전의 시기를 말한다.
- **활강(미끄러울 滑, 내릴 降)**
  비탈진 곳을 미끄러져 내려오거나 내려감

정답 및 해설 5쪽

2 현대의 날치는 30초 만에 400 m를 활강하고 순간 최고 속도는 시속 72 km에 이릅니다. 중국 척추동물 고생물학 및 고인류학 연구소의 '구왕 후이 쑤' 박사팀은 이 화석을 분석해 과거 날치가 지금의 날치와 비슷하게 활강 능력이 있었던 것으로 분석, 발표했습니다. 날치는 왜 물 위를 날 수 있게 진화했을지 그 이유를 추리하여 적어보세요.

날치가 물밖에서 나는 이유를 생각해 봅니다.

▼

날치가 물밖으로 나와 빨리 날아야 하는 이유는 무엇이 있을까요?

논술형

3 화석이 발견된 지역인 중국 서남부는 과거에 양쯔해라는 바다였습니다. 양쯔해는 팔레오테시스해라는 지금의 인도양과 남부 아시아에 해당하는 지역의 오른쪽에 해당합니다. 연구진은 포타닉시스 징구엔시스 화석이 발견된 지역의 과거 환경에 대해서도 유추해 냈습니다. 날치가 물 위를 날 수 있다는 사실을 바탕으로 유추할 수 있는 이 지역의 과거 환경과 그렇게 생각하는 이유를 적어보세요.

손에 잡히는 STEAM

날치가 물 위를 날 수 있는 이유

▼

바다의 온도에 따라 날치의 움직임은 어떻게 달라졌을까요?

▼

날치가 물 위를 날기 위한 바다의 환경은 어떠했을까요?

탐구력 키우기

퇴적암과 화석

지층은 암석이 샌드위치처럼 여러 층으로 쌓여 있다. 지층은 흐르는 물에 의해 운반된 자갈, 모래, 진흙 등이 강바닥이나 바다 밑에 쌓여 단단하게 굳어져서 만들어진다. 지층은 이암, 사암, 역암 등 다양한 암석으로 이루어져 있으며, 지층 사이에 생물의 몸체나 흔적이 남아 있는 것을 화석이라고 한다. 실험을 통해 지층을 이루는 암석의 특징과 화석이 만들어지는 과정을 알아보자.

준비물

종이컵 5개, 석고 가루, 모래, 자갈, 진흙, 조개 껍데기, 식용유, 붓

탐구 과정

실험 1
① 종이컵 3개에 석고 가루를 절반 정도 담는다.
② 첫 번째 종이컵에 물을 조금 넣고 떠먹는 요구르트 정도의 묽기가 되도록 반죽한 후 굳힌다.
③ 두 번째 종이컵에 모래를 넣고 골고루 섞은 후, 물을 조금 넣고 떠먹는 요구르트 정도의 묽기가 되도록 반죽한 후 굳힌다.
④ 세 번째 종이컵에는 자갈을 넣고 골고루 섞은 후, 물을 조금 넣고 떠먹는 요구르트 정도의 묽기가 되도록 반죽한 후 굳힌다.
⑤ 세 개의 종이컵 속의 석고가 모두 굳으면 꺼낸 후, 망치로 쳐서 반으로 자르고 속모습을 관찰한다.

실험 2
⑥ 종이컵에 찰흙을 절반 정도 넣고 평평하게 만든다.
⑦ 찰흙 위에 조개 무늬를 찍고, 조개를 빼낸다.
⑧ 붓으로 찰흙 위에 식용유를 조금 바른다.
⑨ 종이컵에 석고 가루와 물을 섞어 떠먹는 요구르트 정도의 묽기가 되도록 반죽한 후, 찰흙 위에 붓고 석고 반죽이 평평해지도록 종이컵을 두세 번 바닥에 내리쳐 준다.
⑩ 석고가 모두 마르면 종이컵에서 꺼내고 찰흙을 떼어낸다.

석고

석고+모래

석고+자갈

찰흙

석고

찰흙

조개 화석

주의사항

- ②, ③, ④ 과정에서 석고는 알갱이들이 서로 달라 붙게 하는 역할을 한다.
- ⑧ 과정에서 식용유를 바르면 찰흙과 석고가 잘 분리된다.

정답 및 해설
6쪽

1. 실험 과정 ②, ③, ④에서 만들어진 암석을 관찰하고 차이점을 비교하여 적어보세요.

- 실험 과정 ② :

- 실험 과정 ③ :

- 실험 과정 ④ :

2. 실험 과정 ⑩에서 생긴 조개 껍데기 화석과 실제 조개 껍데기 화석(사진)을 관찰하고 비슷한 점과 다른 점을 적어보세요.

- 비슷한 점 :

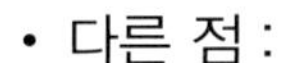

- 다른 점 :

3. 실제 화석이 만들어지는 과정을 적어보세요.

STEAM

4. 경상남도 진주시에서 혁신도시 개발사업 중 익룡 발자국 화석 545개와 세계에서 가장 오래된 물갈퀴 새를 포함한 새발자국 화석이 발견되면서 공사가 중단되었습니다. 문화재청은 이 화석을 천연기념물로 지정하기로 결정했고, 이에 따라 진주시의 혁신도시 개발 사업 계획은 일부 변경이 되었습니다. 화석과 화석이 발견된 지역에 개발을 제한하고 보존 · 관리하는 이유를 적어보세요.

Ⅱ 식물의 한살이

03 씨앗의 싹 트기, 식물의 자람(1)

04 식물의 자람(2), 여러 가지 식물의 한살이

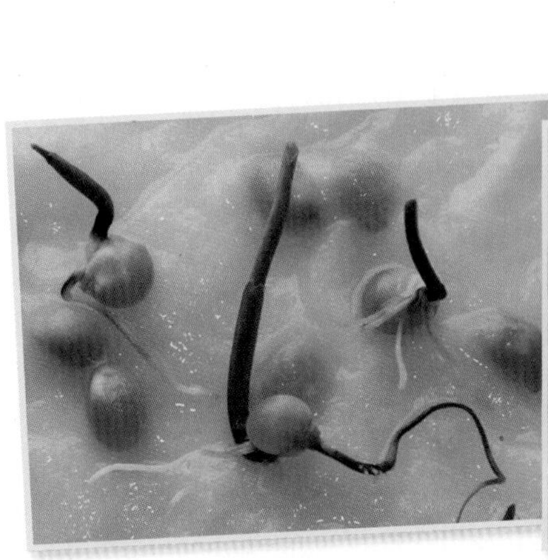

식물이 싹을 틔워 자라 꽃을 피우고 열매를 맺어 다시 씨를 만들기까지의 과정을 배운다. 식물을 기르면서 한살이 과정을 관찰함으로써, 식물의 싹 트기와 생장에 따른 겉모습의 변화와 번식 방법을 배운다.

2015 개정 교육과정 교과서

초등 3~4학년 군 :
4학년 1학기 2단원 식물의 한살이

다른 학년과의 연계

초등 3~4학년 군 : 식물의 생활
초등 5~6학년 군 : 식물의 구조와 기능
중학교 1~3학년 군 : 식물과 에너지

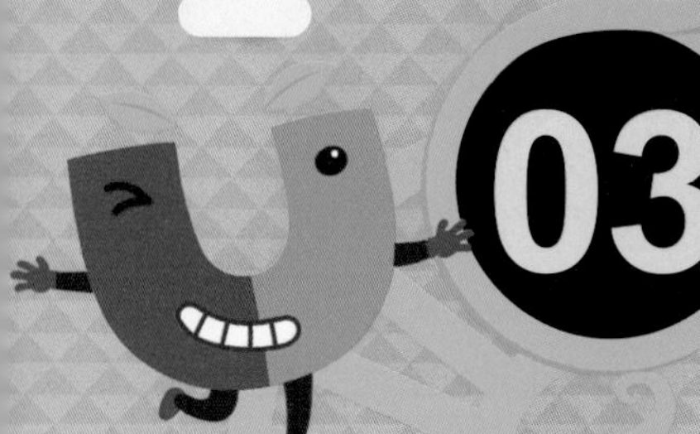

물과 온도가 적당할 때

03 씨앗의 싹 트기, 식물의 자람(1)

개념 더하기

● 씨의 크기를 관찰하는 방법
- 씨끼리 비교하기
- 자를 이용하여 길이 재기
- 동전과 같이 크기가 일정한 물건을 사용하여 크기 비교하기

용어 풀이

씨
식물의 열매 속에 있는, 장차 싹이 터서 새로운 개체가 될 단단한 물질

정답

ⓐ 껍질 ⓑ 다양

1 씨앗의 싹 트기

1. 여러 가지 씨 관찰

씨 이름	색깔	모양	촉감	크기
강낭콩씨	검붉은색 또는 알록달록한 색	둥글고 길쭉하다.	매끈하다.	가로 1.6cm 세로 0.8cm 정도
볍씨	노란색	길쭉함	거칠하다.	가로 0.6cm 세로 0.3cm 정도
옥수수씨	노란색, 하얀색, 자주색 등	윗부분은 둥글고 옆쪽은 모가 나 있다.	매끈하다.	가로 0.9cm 세로 0.8cm 정도
봉숭아씨	어두운 갈색	둥글다.	거칠다.	가로 0.2cm 세로 0.1cm 정도
은행나무씨	연한 노란색	달걀 모양과 비슷하다.	매끈하다.	가로 1.6cm 세로 1.0cm 정도
채송화씨	검은색	둥글다.	매끈하다.	매우 작아 재기 어렵다.

2. 여러 가지 씨의 공통점과 차이점

① **공통점** : 단단하다. ⓐ______ 에 둘러싸여 있다.

② **차이점** : 색깔, 모양, 촉감, 크기가 ⓑ______ 하다.

★생활 속 과학 씨 없는 열매

식물의 씨는 대부분 열매 속에서 함께 자란다. 그러나 우리가 먹는 바나나의 경우 씨가 없다. 야생 바나나는 열매 속에 딱딱한 씨앗이 잔뜩 들어 있어서 처음에는 뿌리를 먹기 위해 바나나를 키웠다. 어느 날 자연적인 돌연변이에 의해 씨가 없고 과육의 크기가 커진 바나나가 나타났고, 돌연변이 덕분에 씨 없는 바나나를 먹을 수 있게 되었다.

식물에 약품 처리를 하거나 인위적으로 교배하면 씨 없는 품종을 만들 수 있다. 우장춘 박사가 개발한 씨 없는 수박도 약품 처리 방법을 이용한 것이다.

▲ 야생 바나나(위)와 우리가 먹는 바나나(아래)

3. 씨가 싹 트는 조건 알아보기

★탐구 씨가 싹 트는 조건

탐구 과정

[1] 씨가 싹 트는 데 물이 필요한지 알아보기

① 두 개의 페트리 접시에 탈지면을 깔고 강낭콩씨를 올려놓는다.

② 하나의 페트리 접시에만 물을 부어 탈지면이 흠뻑 젖게 한다.

- 같게 할 조건 : 공기, 온도, 이 외의 조건들
- 다르게 할 조건 : ⓐ____

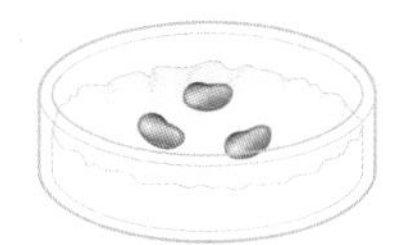
▲ 물을 준 것

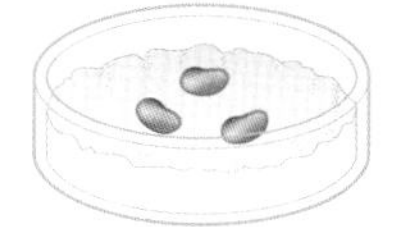
▲ 물을 주지 않은 것

[2] 씨가 싹 트는 데 온도가 영향을 주는지 알아보기

① 두 개의 페트리 접시에 탈지면을 깔고 강낭콩씨를 올린 후 모두 물을 붓는다.

② 하나의 페트리 접시는 얼음주머니를 넣지 않은 스타이로폼 상자에 넣고, 다른 하나는 얼음 주머니를 넣은 스타이로폼 상자에 넣는다.

- 같게 할 조건 : 공기, 물, 이 외의 조건들
- 다르게 할 조건 : ⓑ____

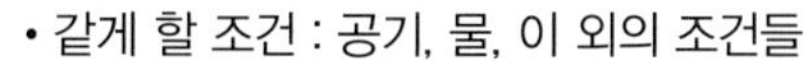

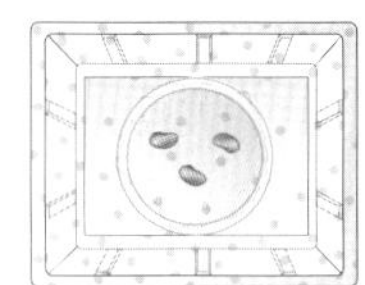
▲ 얼음주머니를 넣지 않은 것

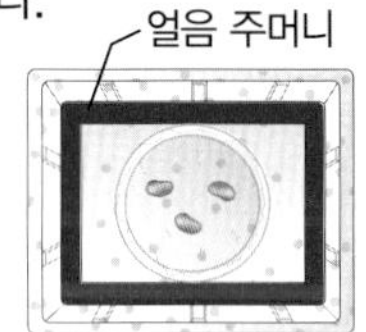

▲ 얼음 주머니를 넣은 것

탐구 결과 및 결론

① 물을 준 강낭콩과 주지 않은 강낭콩 비교

물을 준 강낭콩		물을 주지 않은 강낭콩	
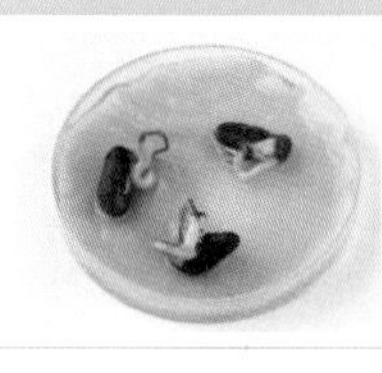	강낭콩씨가 싹이 텄다.	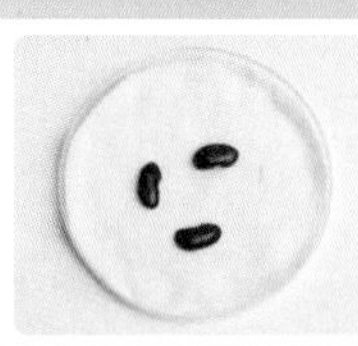	강낭콩씨가 싹이 트지 않았다.

씨가 싹 트는 데 ⓒ____이 필요하다.

② 얼음주머니를 넣은 스타이로폼 상자와 넣지 않은 상자의 강낭콩 비교

얼음주머니를 넣지 않은 스타이로폼 상자		얼음주머니를 넣은 스타이로폼 상자	
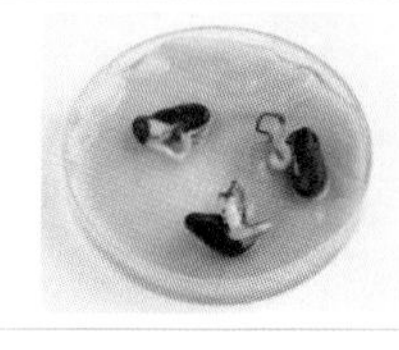	강낭콩씨가 싹이 텄다.		강낭콩씨가 싹이 트지 않았다.

씨가 싹 트는 데 ⓓ____가 영향을 준다.

4. 씨가 싹 트는 조건

적당한 양의 물, 알맞은 온도 등

개념 더하기

● **씨가 싹틀 때 햇빛의 영향을 알아보는 실험**

두 개의 페트리 접시에 탈지면을 깔고 강낭콩씨를 올린 후 모두 물을 붓는다. 두 개의 페트리 접시를 햇빛이 비치는 곳에 두고, 하나의 페트리 접시에만 은박 접시를 덮어 햇빛을 받지 못하게 한다.

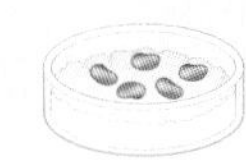

두 개의 페트리 접시에서 모두 강낭콩씨가 싹이 튼다. 씨가 싹이 틀 때 햇빛의 영향은 받지 않는다.

● **강낭콩씨의 싹이 나오는 곳**

강낭콩씨의 흰색 부분인 배꼽은 강낭콩씨가 꼬투리 안에 붙어 있던 부분이다. 강낭콩씨의 싹은 배꼽의 윗부분에서 나오기 시작한다.

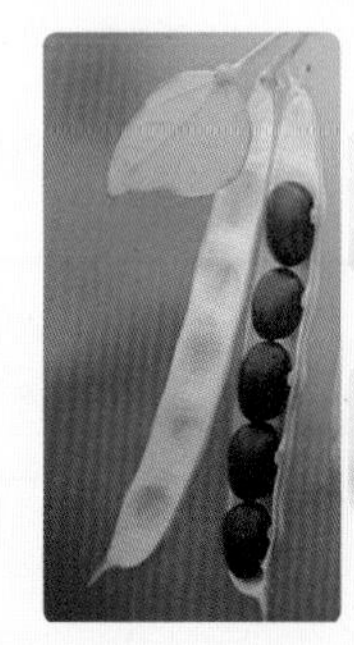

정답

ⓐ 물 ⓑ 온도 ⓒ 물 ⓓ 온도

03 씨앗의 싹 트기, 식물의 자람(1)

개념 더하기

● 거름흙

식물이 잘 자랄 수 있는 기름진 흙으로, 흙 70%, 부식토 20%, 모래 10%를 섞어 만든다.

● 운동장 흙에서 식물이 잘 자라지 않는 이유

운동장 흙은 주로 굵은 모래로 이루어져 있어 물이 잘 빠지기 때문에 흙이 오랫동안 물을 가지고 있지 못하며, 운동장 흙에는 양분이 포함된 흙이 섞여 있지 않아서 식물이 잘 자라지 못한다.

용어 풀이

이랑
물결처럼 줄줄이 오목하고 볼록한 줄무늬 중 볼록한 곳

ⓐ 이랑 ⓑ 두세

2 식물의 자람(1)

1. 식물의 한살이

씨가 싹이 트고 자라 꽃을 피운 다음 열매를 맺고 죽는 과정

2. 한살이 관찰 계획 세우기

관찰자	( ) 학년 ( ) 반 이름 ( )		
관찰할 식물	예 강낭콩	씨를 심을 곳	예 화분
관찰 내용	• 싹이 트는 모습을 그려본다. • 잎과 줄기의 길이를 줄자로 재어본다. • 꽃과 열매가 자라는 모습을 그려본다. • 꼬투리의 길이를 줄자로 재어본다.		
관찰 방법	• 디지털카메라로 사진을 찍는다. • 그림을 그린다. • 자로 길이를 잰다.		

3. 씨앗 심는 방법

화단에 심는 경우	화분에 심는 경우
① 흙은 깊이 파서 뒤집어 잡초를 제거하고 돌을 고른 다음, 흙을 일구고 평탄하게 하여 심으면 더 좋다. ② ⓐ______을 만들고 씨앗 두께의 두세 배 정도의 깊이로 씨앗을 심는다. ③ 씨앗을 심은 다음 물을 뿌리고 팻말을 만들어 꽂는다.	① 작은 돌이나 망 등으로 화분 바닥의 물 빠짐 구멍을 막는다. ② 화분에 거름흙을 $\frac{3}{4}$ 정도 넣는다. ③ 씨앗 두께의 ⓑ______ 배 깊이로 심고 흙을 덮는다. ④ 물뿌리개로 충분히 물을 준다. ⑤ 팻말을 꽂거나 이름표를 붙인다. ⑥ 햇빛이 비치는 곳에 두고 관찰한다.
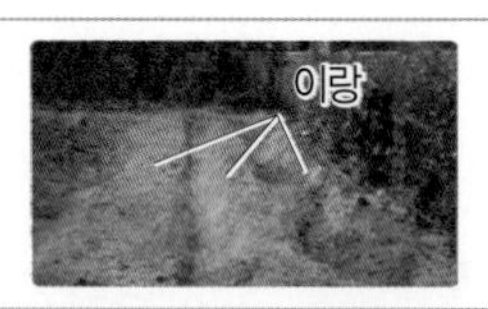	 

★더 알아보기 씨앗 두께의 두세 배 깊이로 심는 이유

씨앗을 너무 깊이 심으면 공기가 잘 통하지 않아서 썩기 쉽고, 너무 얕게 심으면 물이 증발하기 쉬워 씨앗이 마르게 된다. 들판에 심을 경우 씨앗을 너무 얕게 심으면 동물들의 먹이가 되는 경우도 있다.

4. 싹이 터서 자라는 과정

① 씨앗이 싹 트는 모습을 관찰하기 위한 실험

방법	• 유리컵에 탈지면을 넣고, 윗부분에 강낭콩씨와 옥수수씨를 놓고 관찰한다.
변화	 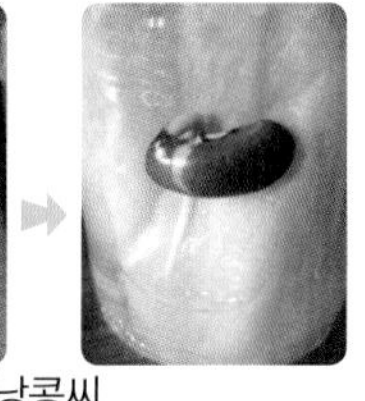 ▲ 강낭콩씨  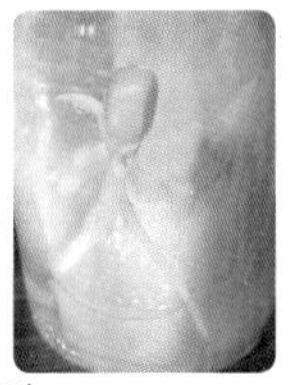 ▲옥수수씨 • 씨앗이 물에 부풀면 씨의 크기가 커진다. • 강낭콩씨는 껍질이 부풀어 오르고 며칠 후에 어린 뿌리가 나온다. 그 다음 며칠 후에 껍질이 벗겨지면서 떡잎이 나온다. • 옥수수씨는 물에 불어 부풀고 며칠 후 어린 뿌리가 나온다. 그 다음 떡잎싸개가 나온다.

② 강낭콩씨가 싹이 터서 자라는 과정 : 두 장의 ⓐ ______ 사이로 본잎이 나온다.

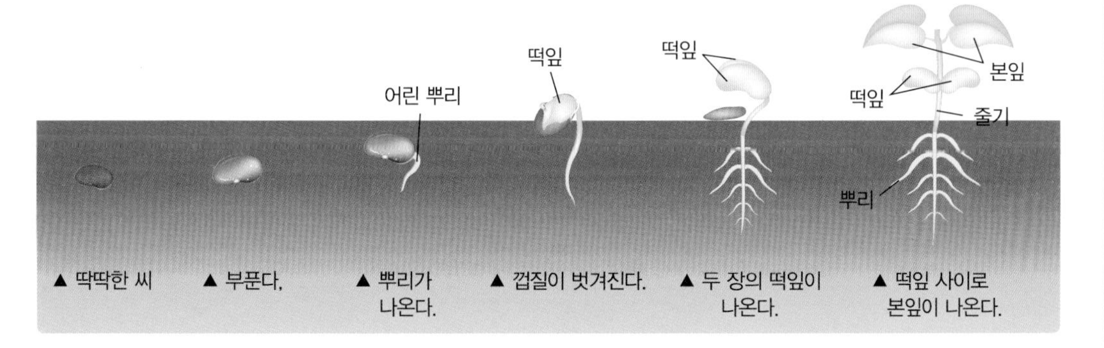

▲ 딱딱한 씨 ▲ 부푼다. ▲ 뿌리가 나온다. ▲ 껍질이 벗겨진다. ▲ 두 장의 떡잎이 나온다. ▲ 떡잎 사이로 본잎이 나온다.

③ 옥수수씨가 싹이 터서 자라는 과정 : ⓑ ______ 사이로 본잎이 나온다.

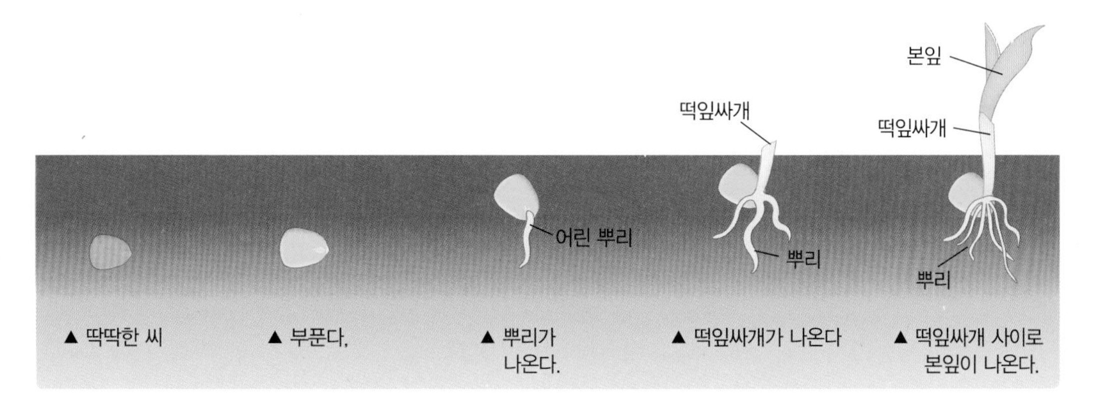

▲ 딱딱한 씨 ▲ 부푼다. ▲ 뿌리가 나온다. ▲ 떡잎싸개가 나온다 ▲ 떡잎싸개 사이로 본잎이 나온다.

개념 더하기

● 강낭콩 떡잎이 쭈글쭈글해지는 이유

식물의 씨앗이 싹 트기 위해서는 떡잎에 있는 영양분을 사용한다. 떡잎에 있는 영양분이 사용되면 떡잎은 쭈글쭈글해지고 시들어 떨어진다.

● 옥수수씨가 싹 트는 과정

옥수수씨는 싹이 틀 때 떡잎이 씨앗 속에서 양분으로 사용되고 씨앗 밖으로 나오지 않는다. 실제 씨앗 밖으로 나오는 것은 떡잎싸개이며, 떡잎싸개가 자라 나오면서 떡잎싸개의 관을 따라 줄기가 곧게 위로 자라면서 본잎이 자라 나온다.

용어 풀이

떡잎
씨가 싹이 틀 때 제일 먼저 나온 잎

떡잎싸개
외떡잎식물의 떡잎이 나올 때만 존재하는 것으로, 외떡잎을 보호하기 위해 떡잎을 감싸고 나오는 아주 작고 얇은 막

정답

ⓐ 떡잎 ⓑ 떡잎싸개

개념기르기

01 다음 그림의 씨에 대한 설명으로 옳지 않은 것은 어느 것입니까? (　　)

① 촉감이 매끈하다.
② 모양은 둥글고 길쭉하다.
③ 채송화씨보다 크기가 작다.
④ 옥수수씨보다 크기가 크다.
⑤ 색깔이 검붉거나 알록달록하다.

02 다음 중 손으로 만져 보았을 때 거칠거칠한 씨로 옳은 것을 모두 고르시오. (　　,　　)

① 볍씨　　② 봉숭아씨
③ 옥수수씨　　④ 채송화씨
⑤ 은행나무씨

03 다음의 여러 가지 씨를 비교했을 때 공통점으로 옳은 것을 모두 고르시오. (　　,　　)

▲ 볍씨

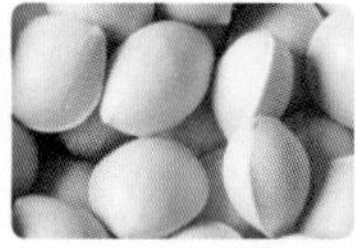
▲ 은행나무씨

▲ 봉숭아씨

① 단단하다.
② 크기가 비슷하다.
③ 촉감이 비슷하다.
④ 모양이 비슷하다.
⑤ 껍질에 둘러싸여 있다.

04 다음과 같이 두 개의 페트리 접시에 탈지면을 깔고 강낭콩씨를 올려 놓은 다음, 하나의 페트리 접시에만 물을 부어 탈지면이 흠뻑 젖게 하였습니다. 이에 대한 설명으로 옳은 것은 어느 것입니까? (　　)

물을 준 것

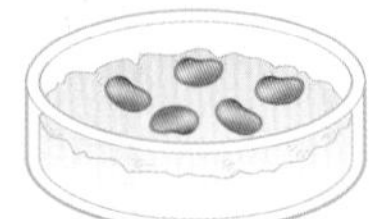
물을 주지 않은 것

① 두 강낭콩씨 모두 싹이 트지 않는다.
② 강낭콩씨에 물을 줄 때 씨가 물에 잠기게 넣어 주어야 한다.
③ 서로 다른 탈지면을 써야 실험결과를 정확히 알 수 있다.
④ 물을 준 강낭콩씨와 물을 주지 않은 강낭콩씨 모두 싹이 튼다.
⑤ 강낭콩씨가 싹이 트려면 적당한 양의 물이 필요하다는 것을 알 수 있다.

05 다음 실험 방법에 대한 설명으로 옳은 것은 어느 것입니까? (　　)

> ㉠ 두 개의 페트리 접시에 탈지면을 깔고 강낭콩씨를 올린 후 모두 물을 붓는다.
> ㉡ 하나의 페트리 접시는 얼음주머니를 넣지 않은 스타이로폼 상자에 넣고, 다른 하나는 얼음 주머니를 넣은 스타이로폼 상자에 넣는다.

① 씨가 싹이 트려면 온도가 낮아야 한다.
② 씨가 싹이 트려면 알맞은 온도가 필요하다.
③ 씨가 싹이 트는 데 물이 필요함을 알 수 있다.
④ 씨가 싹이 트기 위해 햇빛이 필요함을 알아보는 실험이다.
⑤ 얼음주머니를 넣은 강낭콩씨는 싹이 트지만 잘 자라지 않는다.

06 다음 〈보기〉 중 강낭콩씨가 싹 트는 경우로 옳은 것을 모두 고른 것은 어느 것입니까? ( )

보기
㉠ 페트리 접시에 탈지면을 깔고 씨를 올려놓은 다음, 물을 주지 않은 채로 냉장고에 넣었다.
㉡ 페트리 접시에 탈지면을 깔고 씨를 올려놓은 다음, 물을 주고 은박 접시를 덮어 햇빛을 받지 못하게 하였다.
㉢ 페트리 접시에 탈지면을 깔고 씨를 올려놓은 다음, 물을 주고 햇빛이 비치는 곳에 놓았다.

① ㉠ ② ㉠, ㉡
③ ㉠, ㉢ ④ ㉡, ㉢
⑤ ㉠, ㉡, ㉢

07 다음 중 식물의 한살이 관찰 계획서에 들어갈 내용으로 옳지 않은 것은 어느 것입니까? ( )

① 관찰 방법 ② 관찰 내용
③ 관찰자 이름 ④ 씨를 심을 곳
⑤ 씨를 구입한 장소

08 다음 〈보기〉 중 화단에 씨를 심는 방법으로 옳은 것을 모두 고른 것은 어느 것입니까? ( )

보기
㉠ 이랑을 만들어 심는다.
㉡ 돌을 골라내고, 흙을 일군다.
㉢ 화단에 물을 뿌리고, 씨앗을 심는다.

① ㉠ ② ㉠, ㉡
③ ㉠, ㉢ ④ ㉡, ㉢
⑤ ㉠, ㉡, ㉢

중요
09 다음 중 화분에 씨를 심는 경우에 대한 설명으로 옳지 않은 것은 어느 것입니까? ( )

① 화분에 거름흙을 $\frac{3}{4}$ 정도 넣는다.
② 화분을 햇빛이 잘 드는 곳에 둔다.
③ 씨 두께의 두세 배 깊이로 씨를 심는다.
④ 씨를 심고 물뿌리개로 충분히 물을 준다.
⑤ 물 빠짐 구멍이 막히지 않도록 돌을 골라낸다.

10 다음 중 강낭콩씨가 싹 터서 자라는 과정에 대한 설명으로 옳은 것은 어느 것입니까? ( )

① 땅 위로 떡잎이 한 장 나온다.
② 떡잎싸개 사이로 떡잎이 나온다.
③ 두 장의 떡잎 사이로 본잎이 나온다.
④ 싹이 틀 때 떡잎이 가장 먼저 나온다.
⑤ 싹이 틀 때 뿌리가 가장 나중에 나온다.

11 다음 〈보기〉는 옥수수씨가 싹이 터서 자라는 과정을 순서없이 나타낸 것입니다. 순서대로 바르게 나타낸 것은 어느 것입니까? ( )

보기
㉠ 떡잎싸개가 나온다.
㉡ 뿌리가 나온다.
㉢ 씨가 부푼다.
㉣ 본잎이 나온다.

① ㉠ – ㉡ – ㉢ – ㉣ ② ㉡ – ㉠ – ㉢ – ㉣
③ ㉢ – ㉡ – ㉠ – ㉣ ④ ㉢ – ㉣ – ㉡ – ㉠
⑤ ㉣ – ㉡ – ㉢ – ㉠

서술형으로 다지기

손에 잡히는 문제 해결

눈, 코, 혀, 귀, 손이 각각 느끼는 감각을 생각해 봅니다.

▼

눈과 코로 씨앗을 관찰할 수 있는 방법은 무엇일까요?

▼

혀, 귀, 손으로 씨앗을 관찰할 수 있는 방법은 무엇일까요?

01 다음은 여러 가지 식물의 씨앗 모습을 나타낸 것입니다. 이 씨앗을 감각기관인 눈, 코, 혀, 귀, 손을 이용하여 관찰할 때, 각각의 감각기관으로 관찰할 수 있는 방법을 각각 적어보세요.

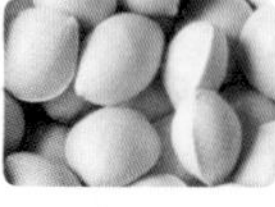

손에 잡히는 문제 해결

싹이 트는 데 물이 주는 영향

▼

각각의 조건이 물만 다르고 다른 조건은 모두 같은지 찾아 봅니다.

▼

잘못된 부분을 찾고 그 이유를 적어봅니다.

02 다음은 씨앗이 싹이 트는 데 물이 어떤 영향을 주는지 알아보기 위하여 세운 실험 과정입니다. 실험 과정에서 잘못된 부분을 모두 찾아 바르게 고치고, 그렇게 고친 이유를 적어보세요.

㉠ 여섯 개의 페트리 접시 바닥에 각각 탈지면을 깐다.
㉡ 한 페트리 접시에만 물을 붓고, 나머지 페트리 접시에는 물을 붓지 않는다.
㉢ 여섯 개의 페트리 접시에 씨앗을 각각 7개씩 놓는다.
㉣ 물을 부은 페트리 접시는 창가에 두고, 나머지 페트리 접시는 냉장고에 넣어 둔다.

03 다음의 봉숭아, 토마토, 고추는 한살이를 관찰하기 좋은 식물들입니다. 이렇게 식물의 한살이를 관찰하기 적합한 식물의 조건을 3가지 적어보세요.

▲ 봉숭아

▲ 토마토

▲ 고추

손에 잡히는 문제 해결

한살이 관찰에 적합한 식물의 조건은 무엇인가요?

관찰하는 기간이 길수록 유리할까요? 짧을수록 유리할까요?

식물의 잎, 줄기, 꽃, 열매의 구분이 명확한 것이 관찰에 유리할까요?

04 다음은 씨가 싹 트는 모습을 나타낸 것입니다. 씨를 어느 방향으로 심어도 뿌리는 아래쪽인 땅속을 향하고, 줄기는 위쪽인 하늘을 향해 자랍니다. 뿌리와 줄기가 항상 같은 방향으로 자라는 이유를 생각하여 적어보세요.

손에 잡히는 문제 해결

뿌리와 줄기의 자람을 관찰합니다.

뿌리가 항상 땅속을 향하는 이유는 무엇의 영향 때문일까요?

줄기가 항상 하늘을 향하는 이유는 무엇의 영향 때문일까요?

융합사고력 키우기

STEAM

- ✓ Science
  - ▶ 에너지
- ✓ Technology
  - ▶ 바이오에너지
- ✓ Engineering
  - ▶ 재생에너지
- Art
- Mathmatics

생물에서 얻는 바이오에너지

바이오에너지란 바이오매스(에너지로 사용할 수 있는 동물, 식물, 미생물)를 통해 얻을 수 있는 에너지로, 재생에너지 중 하나이다.
바이오에너지는 바이오에탄올, 바이오디젤, 바이오가스가 있다.
바이오에탄올은 옥수수, 사탕수수, 감자 등 곡물이나 나무, 볏짚 등의 식물체를 발효시켜 만든 알코올이다. 바이오디젤은 콩, 해바라기씨, 유채씨, 팜유, 폐식용유 등에서 기름을 추출한 것이다. 바이오가스는 음식물 쓰레기, 가축 배설물, 동물사체 등을 공기가 없는 곳에서 썩힐 때 생성되는 메테인가스이다. 바이오에탄올은 휘발유에, 바이오디젤은 경유 연료에 섞어 사용할 수 있어 차량 연료 대체에너지로 활용되고 있다. 바이오가스는 가정의 조리, 냉난방, 조명용 연료, 발전 연료로 사용한다.

▲ 바이오에탄올

▲ 바이오디젤

▲ 바이오디젤 주유소

사탕수수나 곡물을 많이 재배하는 브라질 · 캐나다 · 미국 등에서는 바이오에너지 공급량이 이미 원자력과 비슷한 수준에 도달해 있다. 인도네시아, 일본도 상당한 수준의 바이오에너지 기술을 갖고 있다. 우리나라에서도 2030년까지 경유 및 휘발유의 20%를 바이오디젤과 바이오에탄올로 대체하는 '바이오기술개발 기본 계획'을 수립해 진행 중이다. 그러나 대부분의 바이오에너지 원료를 수입에 의존하고 있어 계획대로 될지 불투명하다.

1 재생에너지인 바이오에너지의 세 가지 종류는 무엇인가요?

용어 풀이

팜유
코코넛 열매에서 얻는 기름

휘발유(가솔린)
자동차나 비행기의 연료로 쓰이는 액체

경유(디젤)
디젤 자동차나 석유버너의 연료로 쓰이는 액체

2 재배지 1,500 m^2당 유채기름은 85 L, 해바라기기름은 105 L를 채취할 수 있습니다. 이렇게 채취한 기름에 수산화 칼륨과 메탄올을 섞어주면 바이오디젤이 만들어집니다. 유채씨나 해바라기씨 이외에 바이오디젤을 만들 수 있는 재료를 찾아보세요.

유채 기름 바이오디젤

바이오디젤은 무엇인가요?
▼
바이오디젤의 원료는 무엇인가요?
▼
바이오디젤 원료를 많이 포함하고 있는 동물과 식물은 무엇인가요?

돼지 기름 바이오디젤

논술형

3 최근 석유의 고갈과 환경파괴 등으로 재생에너지를 대안으로 내놓는 경우가 많습니다. 태양에너지나 수력에너지보다 바이오매스를 에너지원으로 이용하는 바이오에너지의 좋은 점과 나쁜 점을 각각 두 가지씩 적어보세요.

석유에너지의 단점은 무엇인가요?
▼
바이오에너지는 무엇으로 만드나요?
▼
우리는 일상생활에서 바이오에너지의 원료를 어떻게 이용하고 있나요?

햇빛과 물이 필요한

04 식물의 자람(2), 여러 가지 식물의 한살이

● 햇빛 차단 장치

햇빛 차단 장치는 바깥 공기와 상자 안 공기가 통하도록 창을 만들어 공기가 통하게 하여 온도 차이가 없도록 한다.

● 물을 주지 않으면 식물이 시드는 까닭

물은 식물의 형태 유지와 양분 생산 및 이동을 가능하게 하는 중요한 성분이다. 따라서 물을 주지 않으면 식물 세포 내에 물이 부족해져 형태를 유지하기 힘들고 되고 결국 시든다.

● 햇빛이 덜 비치는 곳에서 자라는 식물

음지에서 자라는 식물은 양지에서 잘 자라는 식물과 마찬가지로 빛이 없으면 영양분을 만들 수 없어 살아가기 어렵다. 단지 양지에서 자라는 식물과 달리 적은 양의 빛으로도 광합성을 하며 살아갈 수 있다.

예 고무나무, 관음죽, 팔손이, 베고니아, 금전수 등

정답

ⓐ 물 ⓑ 햇빛 ⓒ 물 ⓓ 햇빛

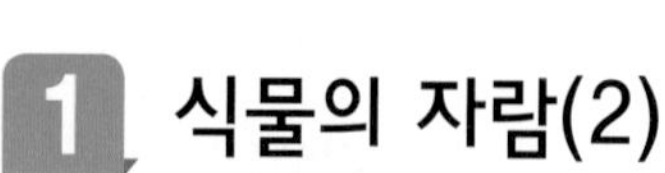

1 식물의 자람(2)

1. 식물이 자라는 데 필요한 조건

★탐구 식물이 자라는 데 필요한 조건

탐구 과정

[1] 식물이 자라기 위해 물이 필요한지 알아보기

① 식물이 비슷한 크기로 자란 화분 두 개를 준비한다.

② 약 10일 동안 한 화분에는 물을 적당히 주고, 다른 화분에는 물을 주지 않는다.

- 같게 할 조건 : 햇빛, 양분, 온도, 공기 등
- 다르게 할 조건 : ⓐ

[2] 식물이 자라기 위해 햇빛이 필요한지 알아보기

① 식물이 비슷한 크기로 자란 화분 두 개를 햇빛이 잘 드는 곳에 두고, 한 화분에 햇빛 차단 장치를 씌운다.

② 약 10일 동안 두 화분에 물을 적당히 준다.

- 같게 할 조건 : 물, 양분, 온도, 공기 등
- 다르게 할 조건 : ⓑ

탐구 결과 및 결론

① 물을 적당히 준 화분과 물을 주지 않은 화분 비교

물을 적당히 준 화분	물을 주지 않은 화분
 • 강낭콩이 잘 자란다. • 잎이 잘 자란다.	• 강낭콩이 시들고 잘 자라지 못한다. • 잎이 시들어 있다.

식물이 잘 자라기 위해서는 적당한 양의 ⓒ 이 필요하다.

② 햇빛을 받은 식물과 받지 못한 식물의 비교

햇빛을 받은 화분	햇빛을 받지 못한 화분
 • 잎의 색깔이 진하고, 줄기가 굵게 자란다. • 잎이 초록색이고 잎과 줄기가 잘 자란다.	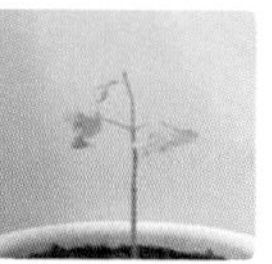 • 잎의 색깔이 연하고 줄기가 가늘게 자란다. • 거의 자라지 않았다.

식물이 잘 자라기 위해서는 충분한 ⓓ 이 필요하다.

2. 식물이 자라는 데 필요한 조건

적당한 양의 물, 충분한 햇빛, 알맞은 온도, 양분, 공기 등

2 잎과 줄기의 자람

1. 잎과 줄기의 자람 측정하는 방법

잎의 자람	• 잎의 개수를 세어 본다. • 늘어나는 잎의 개수를 기록한다. • 새로 나온 잎에 유성 펜을 이용하여 약 0.5~1cm 정도의 간격으로 격자 모양을 그려 넣어 3~4일 간격으로 격자 모양의 간격이 얼마나 커졌는지를 기록한다.	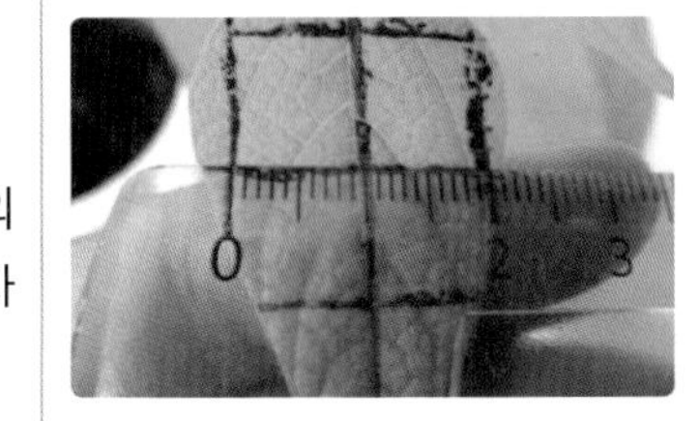
줄기의 자람	• 새순이 난 바로 아래까지의 줄기 길이를 줄자를 이용하여 날짜별로 잰다. • 새로 난 줄기의 개수를 기록한다. • 줄기 윗부분에 유성 펜으로 2mm 간격으로 선을 긋고 자라는 과정을 관찰한다.	

2. 잎과 줄기가 자라면서 변한 모양

① 잎이 넓어지고, 가지와 잎의 개수가 점점 ⓐ______진다.
② 줄기가 점점 ⓑ______진다.
③ 줄기의 끝 부분에서 새로운 잎이 생긴다.
④ 하나의 잎자루에 작은 잎 세 장이 있다.

3 꽃과 열매의 자람

1. 꽃과 열매의 자람 측정하는 방법

① 꽃망울의 개수를 세어 날짜별로 기록한다.
② 꽃이 자라는 모양을 살펴본다.
③ 꽃의 크기를 줄자로 잰다.
④ 열매의 개수와 크기를 측정하고 기록한다.

2. 꽃과 열매가 자라면서 변한 모양

① 꽃망울의 개수가 점점 많아지고 꽃이 피기 시작한다.
② 활짝 피는 꽃이 많아진다
③ 꽃이 지면서 ⓒ________가 생긴다.
④ 열매(꼬투리)는 시간이 지남에 따라 점점 커진다.
⑤ 식물의 자람에 따라 열매의 개수가 ⓓ______진다.

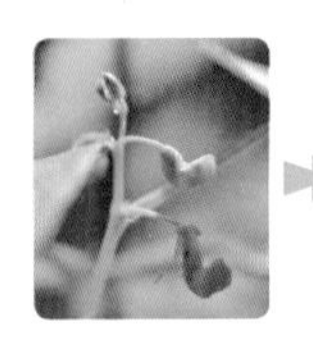

개념 더하기

● 식물이 자라면서 달라지는 것
• 잎의 개수와 크기
• 줄기의 굵기와 길이
• 가지의 개수와 크기 등

용어 풀이

잎
식물의 줄기 끝에 있는 부분으로 영양분을 만들고 호흡작용을 하는 곳

줄기
식물을 지지하고 물이나 양분의 이동 통로 기능을 하는 곳

꽃
식물의 번식 기관으로 열매나 씨앗을 만드는 곳

열매
씨가 들어 있는 곳

꼬투리
콩과 식물의 열매를 싸고 있는 껍질

뿌리
물과 양분을 흡수하고 양분을 저장하는 곳

정답
ⓐ 많아 ⓑ 굵어 ⓒ 꼬투리
ⓓ 많아

04 식물의 자람(2), 여러 가지 식물의 한살이

4 벼의 한살이

1. 벼의 한살이

▲ 딱딱한 볍씨

▲ 부푼다.

▲ 어린 뿌리가 나온다.

▲ 떡잎싸개가 나온다.

본잎
떡잎싸개
▲ 본잎이 나온다.

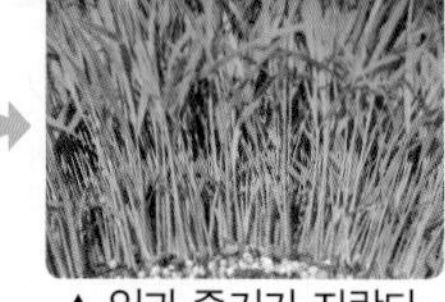
▲ 잎과 줄기가 자란다.

▲ 꽃이 핀다.

▲ 열매가 자란다.

2. 내가 기른 식물의 한살이 알아보기

① 봉숭아 식물의 한살이

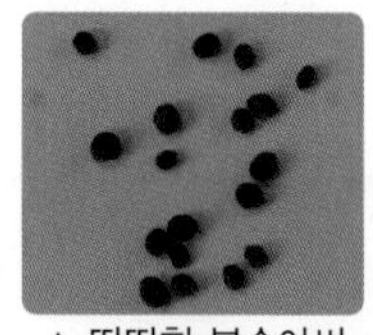
▲ 딱딱한 봉숭아씨

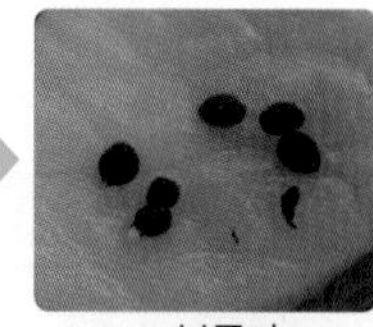
▲ 부푼다.

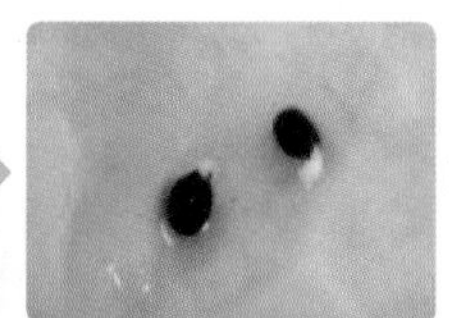
▲ 어린 뿌리가 나온다.

▲ 떡잎이 나온다.

▲ 본잎이 나온다.

▲ 잎과 줄기가 자란다.

▲ 꽃이 핀다.

▲ 열매 속에서 씨앗이 자란다.

② 내가 기른 식물의 한살이의 공통점과 차이점

공통점	• 봉숭아도 벼처럼 '씨 → 싹이 틈 → 잎과 줄기가 자람 → 꽃이 핌 → 열매가 자람'의 과정을 거친다. • 한살이 기간이 일 년 안에 끝난다.
차이점	• 강낭콩과 봉숭아는 두 장의 떡잎이 나오지만, 옥수수와 벼는 떡잎이 나오지 않고 떡잎싸개가 나온다.

3. 식물의 한살이

① ⓐ______ : 씨가 싹 트고 자라 꽃이 피고 열매를 맺어 다시 씨앗을 만들어 내는 과정

② 식물의 한살이 단계 : 씨앗 → ⓑ____ 트기 → 잎과 줄기의 자람 → ⓒ____이 핌 → ⓓ______가 자람

개념 더하기

● 벼꽃

벼꽃은 화려하지도 크지도 않고 잠시 피었다가 사라진다. 벼꽃은 오전 10시부터 오후 2시 경에 핀다. 벼꽃은 암술 1개에 6개의 수술로 이루어져 있다. 벼 껍질이 반으로 갈라지며 수술이 천천히 위로 올라오고, 여섯 개의 수술이 약 2시간 동안 밑으로 늘어지면서 암술 머리에 닿아 자가수분이 이루어진다. 벼꽃은 2시간 이내에 피었다가 진다.

● 한살이 기간이 짧은 식물

사막 식물은 고온 건조한 환경에서 살아남기 위하여 적은 강수를 이용하여 짧은 기간에 생장과 번식을 끝낼 수 있도록 효과적으로 적응되어 있다. 6~8주의 짧은 기간 동안 한살이가 끝나기도 한다.

ⓐ 한살이 ⓑ 싹 ⓒ 꽃 ⓓ 열매

5 여러 가지 식물의 한살이 비교

1. 한해살이 식물 : 풀

① 한해살이 식물의 한살이 : 옥수수

봄에 씨가 싹 튼다. → 잎과 줄기가 자란다. → 여름에 꽃이 핀다. → 열매가 맺히고 씨가 생긴다. → 잎, 줄기, 뿌리가 시들어 죽는다.(다시 ⓐ____를 심어야 한다.)

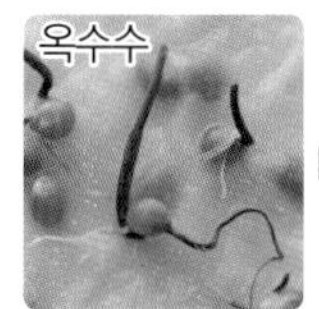

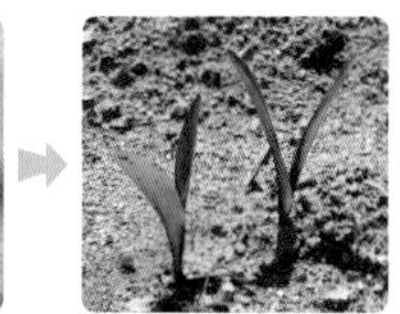

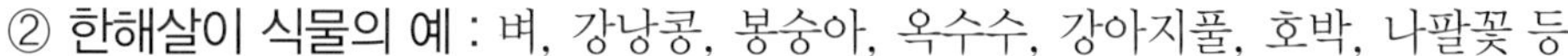

② 한해살이 식물의 예 : 벼, 강낭콩, 봉숭아, 옥수수, 강아지풀, 호박, 나팔꽃 등

2. 여러해살이 식물 : 풀과 나무

① 여러해살이 식물의 한살이 : 비비추와 감나무

봄에 씨가 싹 튼다. → 잎과 줄기가 자란다. → 여름에 꽃이 핀다. → 열매가 맺히고 씨가 생긴다. → 이듬해 봄 ⓑ______이 나온다.

② 여러해살이 식물의 예

- 여러해살이 풀 : 비비추, 국화, 쑥, 질경이, 민들레 등
- 여러해살이 나무 : 감나무, 사과나무, 개나리, 무궁화, 철쭉, 진달래 등

3. 식물의 한살이 비교하기

구분	한해살이 식물	여러해살이 식물
공통점	씨가 싹 터서 자라 꽃을 피우고 열매를 맺어 대를 잇는다.	
차이점	한 해 동안 싹 트고 자라 꽃을 피우고 열매를 맺어 대를 잇고 ⓒ____는다.	여러 해 동안 죽지 않고 새순이 자라 꽃을 피우고 열매를 맺는 과정을 ⓓ______한다.

개념 더하기

● 감나무 접붙이기

감나무는 원래 씨앗에서 싹이 터서 자라면 같은 감이 생산되지 않아, 성질을 유지하기 위해서 접붙이기를 한다.

● 여러해살이 식물이 겨울을 보내는 법

- 잎을 모두 떨어뜨린다. : 추위를 덜 타는 가지와 줄기, 뿌리만 남긴다. 예 단풍나무, 참나무 등
- 비늘잎 : 여러 장의 비늘잎이 겹겹이 싸여 있어 추위를 견딘다. 예 개나리, 사과나무, 목련 등
- 뿌리잎 : 눈을 땅 위에 조금 내놓은 채 시든 뿌리잎으로 추위를 난다. 예 민들레, 엉겅퀴 등
- 땅속 뿌리 : 땅속에 묻힌 뿌리로 겨울을 난다. 예 우엉, 인삼 등

▲ 목련 비늘잎

▲ 민들레 뿌리잎

정답

ⓐ 씨 ⓑ 새순 ⓒ 죽 ⓓ 반복

개념기르기

01 다음은 식물이 자라기 위한 조건을 다르게 하여 10일 동안 키운 식물의 모습입니다. 이에 대한 설명으로 옳은 것은 어느 것입니까? (　　)

(가)

(나)

① (가)는 햇빛을 충분히 받은 식물이다.
② (나)는 물을 너무 많이 준 식물이다.
③ 두 식물의 물의 양을 같게 해주어야 한다.
④ 두 식물의 햇빛의 양을 같게 해주어야 한다.
⑤ (가)는 아침에 물을 준 식물이고, (나)는 저녁에 물을 준 식물이다.

중요

02 다음과 같이 비슷한 크기의 식물 두 개를 햇빛이 잘 드는 곳에 둔 다음, 하나만 햇빛 차단 장치를 씌웠습니다. 이에 대한 설명으로 옳은 것은 어느 것입니까? (　　)

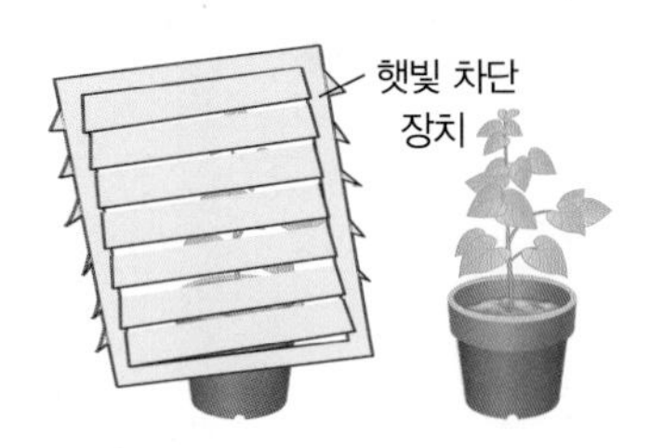

① 식물이 자라는 데 물은 필요하지 않다.
② 위 실험에서 다르게 한 조건은 햇빛이다.
③ 식물이 자라는 데 햇빛은 필요하지 않다.
④ 10일 뒤 햇빛을 받지 못한 식물의 잎 색깔이 더 진해졌다.
⑤ 10일 뒤 햇빛을 받지 못한 식물은 모습이 거의 변하지 않았다.

03 다음 중 강낭콩의 잎과 줄기의 자람을 측정하는 방법으로 옳지 않은 것은 어느 것입니까? (　　)

① 늘어나는 잎의 개수를 기록한다.
② 새로 난 줄기의 개수를 기록한다.
③ 잎과 줄기의 자람을 한 시간 간격으로 측정한다.
④ 잎에 유성펜으로 격자 모양을 그려놓고 3일 간격으로 간격이 얼마나 커졌는지 기록한다.
⑤ 줄기 윗부분에 유성펜으로 일정한 간격을 긋고 자라는 과정을 관찰한다.

04 다음 중 강낭콩이 자라면서 변하는 모습에 대한 설명으로 옳지 않은 것은 어느 것입니까? (　　)

① 잎이 넓어진다.
② 줄기가 점점 길어진다.
③ 가지와 잎의 개수가 점점 많아진다.
④ 하나의 잎자루에 작은 잎 세 장이 있다.
⑤ 줄기와 잎자루 사이에서 새로운 잎이 나온다.

05 다음 〈보기〉는 꽃과 열매가 자라면서 변하는 모양을 순서없이 나타낸 것입니다. 바르게 나열한 것은 어느 것입니까? (　　)

㉠ 꼬투리가 생긴다.
㉡ 꽃망울의 개수가 점점 많아진다.
㉢ 꽃이 피기 시작한다.
㉣ 열매가 점점 커진다.

① ㉠ – ㉡ – ㉢ – ㉣　　② ㉡ – ㉢ – ㉠ – ㉣
③ ㉢ – ㉡ – ㉠ – ㉣　　④ ㉢ – ㉣ – ㉡ – ㉠
⑤ ㉣ – ㉡ – ㉢ – ㉠

06 다음 중 벼의 한살이에 대한 설명으로 옳은 것은 어느 것입니까? ( )

① 벼꽃은 노란색이다.
② 껍질이 벌어지면서 싹이 튼다.
③ 본잎이 나오면서 바로 꽃이 핀다.
④ 벼꽃이 진 뒤 떡잎싸개가 나온다.
⑤ 벼 껍질 속에 두 개의 수술이 나와 있다.

07 다음 중 강낭콩, 옥수수, 벼, 봉숭아의 한살이를 바르게 비교한 것은 어느 것입니까? ( )

① 봉숭아와 벼는 떡잎싸개가 나온다.
② 강낭콩과 벼는 떡잎싸개가 나온다.
③ 벼와 옥수수는 두 장의 떡잎이 나온다.
④ 강낭콩과 봉숭아는 두 장의 떡잎이 나온다.
⑤ 강낭콩, 옥수수, 벼, 봉숭아 모두 두 장의 떡잎이 나온다.

08 다음 중 여러해살이 식물로 옳지 않은 것은 어느 것입니까? ( )

① 
개나리

② 
나팔꽃

③ 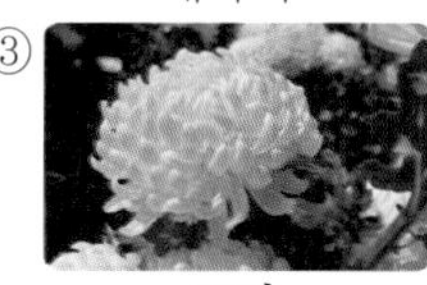
국화

④ 
사과나무

⑤ 
무궁화

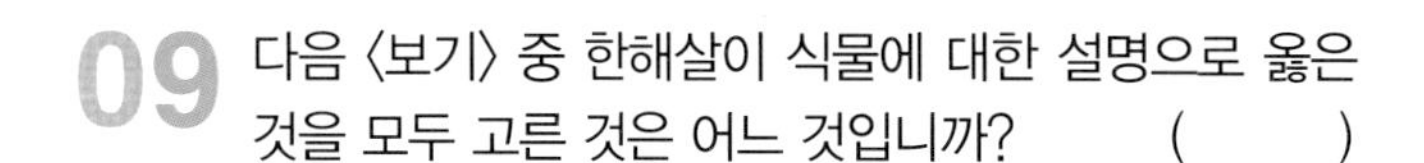

09 다음 〈보기〉 중 한해살이 식물에 대한 설명으로 옳은 것을 모두 고른 것은 어느 것입니까? ( )

보기
㉠ 모두 풀 종류이다.
㉡ 이듬해 봄에 다시 꽃이 핀다.
㉢ 일 년 이내에 열매를 맺어 다음 대를 이을 씨를 만들고 죽는다.

① ㉠
② ㉡
③ ㉠, ㉢
④ ㉡, ㉢
⑤ ㉠, ㉡, ㉢

중요

10 다음 중 한해살이 식물과 여러해살이 식물의 차이점으로 옳은 것은 어느 것입니까? ( )

① 한해살이 식물은 씨가 없고 여러해살이 식물은 씨가 있다.
② 한해살이 식물은 모두 풀이고 여러해살이 식물은 모두 나무이다.
③ 여러해살이 식물은 열매를 맺기까지 5년 이상 걸리고, 한해살이 식물은 1년이 걸린다.
④ 한해살이 식물은 겨울이 되기 전에 죽지만 여러해살이 식물은 겨울에 새순이 나온다.
⑤ 한해살이 식물은 한살이가 일 년 이내이고, 여러해살이 식물은 여러 해 동안 한살이를 합니다.

11 다음 중 여러해살이 식물이 겨울을 날 때 비늘잎으로 나는 식물은 어느 것입니까? ( )

① 목련
② 인삼
③ 참나무
④ 민들레
⑤ 단풍나무

서술형으로 다지기

손에 잡히는 문제 해결

강낭콩의 자람을 비교하는 방법은 무엇인가요?

▼

줄기의 자람을 비교하는 방법을 생각해 봅니다.

▼

잎의 자람을 비교하는 방법을 생각해 봅니다.

01 오른쪽과 같이 강낭콩을 화분에 심고 한 달 동안 강낭콩의 자람을 관찰하려고 합니다. 날짜에 따라 강낭콩의 자람을 비교하기 위하여 관찰해야 하는 것을 5가지 적어보세요.

손에 잡히는 문제 해결

강낭콩씨의 관찰일지를 생각해 봅니다.

▼

떡잎이 나오는 식물의 한살이는 어떠한가요?

▼

강낭콩씨와 호박씨의 한살이를 비교해 봅니다.

02 다음은 호박씨를 심어 자라는 모습을 관찰하여 적은 관찰일지입니다. 빈칸을 채워 관찰일지를 완성하고, 강낭콩씨를 키웠을 때의 관찰일지와 비교하였을 때의 차이점을 적어보세요.

날짜	호박씨
4월 5일	씨앗을 심음
4월 10일	떡잎이 2장 나옴
4월 15일	(㉠)이 10장 정도 나옴
4월 20일	(㉡)가 자람
4월 25일	꽃이 핌
4월 30일	(㉢)가 맺힘

03 다음과 같이 강낭콩의 꽃이 지면 그 자리에 꼬투리가 생깁니다. 이 꼬투리를 열어 보면 꼬투리마다 속에 들어 있는 강낭콩의 크기와 수가 다른 것을 볼 수 있습니다. 이렇게 꼬투리 속의 강낭콩의 크기와 수가 다른 이유를 적어보세요.

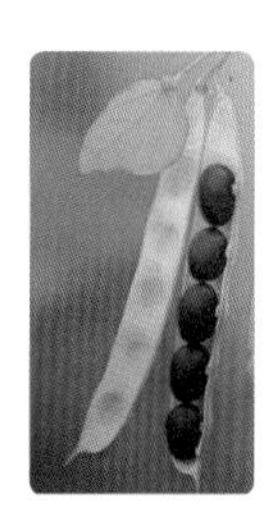

손에 잡히는 문제 해결

한 나무에 열리는 열매가 조금씩 차이가 나는 이유는 무엇일까요?

꼬투리 속의 강낭콩의 크기와 수는 왜 다를까요?

강낭콩 식물이 얻은 양분은 각각의 꼬투리로 같은 양이 전달될까요?

논술형

04 다음과 같이 강낭콩 줄기의 길이를 7일마다 측정하여 나타낸 그래프에서 강낭콩 줄기의 길이가 6월 17일 이후부터 길이가 거의 늘어나지 않는 것을 볼 수 있습니다. 길이가 거의 늘어나지 않은 시기를 예상하여 쓰고, 그 이유를 적어보세요.

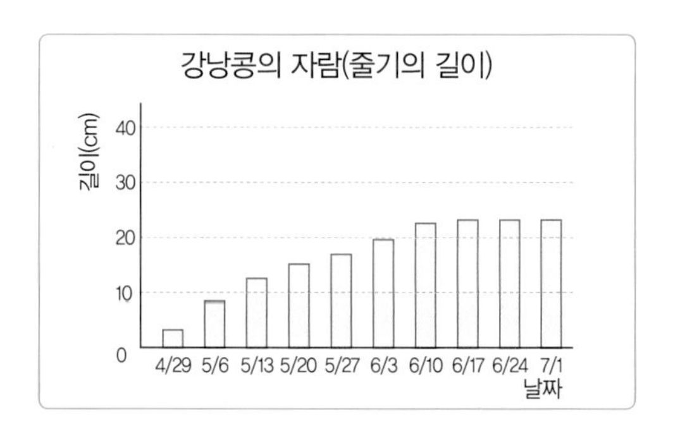

그래프를 분석해 봅니다.

6월 17일 이후 길이가 거의 늘어나지 않는 이유를 생각해 봅니다.

길이가 자랄 때 사용된 양분은 모두 어디로 갔을까요?

융합사고력 키우기

STEAM

- ✓ Science
  - ▶ 벼의 한살이
- ✓ Technology
  - ▶ 쌀 재배
- ✓ Engineering
  - ▶ 생명공학
- Art
- Mathmatics

2013년 1인당 1년간 쌀 소비량은 67.2 kg

밥심으로 산다는 말도 이제 옛말이 되어버렸다. 해마다 쌀 소비량이 급격히 감소하고 있다. 통계청의 '2013년 양곡소비량 조사결과'에 따르면 2013년 1인당 연간 쌀 소비량은 67.2 kg으로, 1970년 136.4 kg와 비교할 때 절반 정도 밖에 되지 않는다. 하루에 쌀 191 g을 먹는 양으로, 밥 한 공기에 필요한 쌀의 양(약 130 g)을 감안하면 하루에 두 공기도 안 먹는 셈이다.

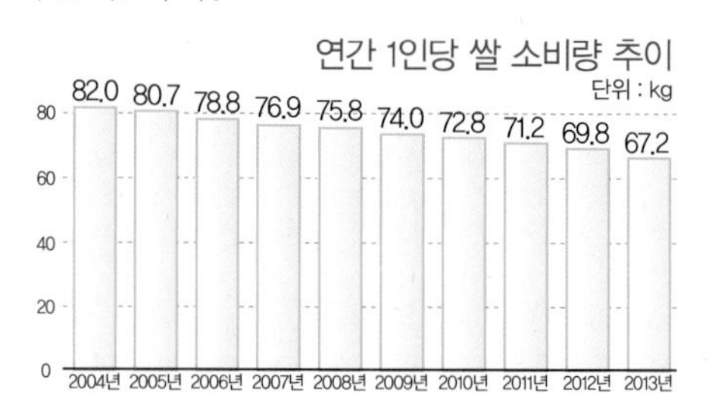

농민들은 풍년이 되어도, 계속해서 줄어드는 쌀 소비량 앞에 풍년의 기쁨보다 걱정이 먼저 앞선다. 이런 추세라면 쌀 생산 기반이 흔들릴 우려가 있어, 쌀 소비를 늘이기 위해서 범국민 프로젝트가 시작되었다.

우선 쌀을 활용한 냉동밥 등 가공식품 개발과 판매를 활성화하며, 컵밥과 밥버거 등 소비자들의 취향을 반영한 간편 쌀 요리도 다양하게 선보일 예정이다. 아침밥을 먹자는 캠페인도 소비자단체 주도로 추진된다. 이 프로젝트를 통해 2020년까지 1인당 쌀 소비량을 70 kg 이상으로 유지하는 게 목표이다.

밥상의 미래는 농민들만의 걱정이 아니다. 농사짓는 사람이 없으면 우리들 밥상에는 수입한 쌀과 채소, 과일이 올라가게 될 것이다. 국민의 먹을거리는 정부나 농협이 수확량을 확인하고 통계를 내어 계획적으로 생산하고 가격을 안정시켜야 한다.

쌀 가치

용어 풀이

- **풍년(풍년 豊, 해 年)**
  곡식이 잘 자라고 잘 여물어 평년보다 수확이 많은 해
- **추세(달릴 趨, 권세 勢)**
  어떤 현상이 일정한 방향으로 나아가는 경향
- **범국민(넓을 汎, 나라 國, 백성 民)**
  국민 전체

1 쌀소비를 늘이기 위한 범국민 프로젝트의 목표는 무엇인가요?

2 해마다 쌀소비량이 꾸준히 감소하는 이유를 2가지 적어보세요.

•

•

쌀의 용도는 무엇인가요?

▼

쌀은 어디에서 어떻게 이용되나요?

▼

내가 먹는 음식 중 쌀로 만든 것은 무엇이 있나요?

논술형

3 사람들이 쌀을 많이 사지 않음에 따라 쌀가격이 많이 하락되어, 풍년이지만 농민들은 힘들게 농사지은 벼들을 팔지 않으려고 수확을 앞둔 논을 불 태우기도 했습니다. 농민들은 점점 쌀농사를 많이 짓지 않고 있으며, 벼농사를 짓던 땅도 다른 작물을 재배하는 밭으로 바뀌고 있는 추세입니다. 쌀 소비량 감소가 우리 생활에 미치는 영향을 적어보세요.

•

•

손에 잡히는 STEAM

우리에게 쌀의 역할은 무엇인가요?

▼

우리가 먹는 쌀은 어디에서 생산되나요?

▼

우리나라에서 쌀의 생산량이 줄어들면, 부족한 양은 어떻게 보충될까요?

탐구력 키우기

강낭콩씨 발아 조건

식물은 작은 씨앗에서 싹이 터서 뿌리, 잎, 줄기가 나와 자랍니다. 씨앗은 식물의 생활에서 활동하지 않고 쉬고 있는 휴면상태이며, 씨앗 속에는 새로운 식물이 될 부분과 영양분이 있습니다. 실험을 통해 휴면상태의 씨앗이 싹이 터서 자라는 데 필요한 조건을 알아보세요.

준비물

강낭콩씨, 포비돈 용액(아이오딘 용액), 접시 5개, 솜, 물, 은박 접시,

탐구 과정

실험 1 ① 강낭콩씨를 반으로 자른다.
② 강낭콩씨를 포비돈 용액(아이오딘 용액)에 충분히 담가둔다.
③ 10분 후 변화를 관찰한다.

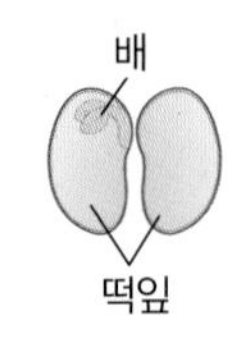

실험 2 ① 네 개의 접시에 솜을 깐다.
② A 접시에는 물을 듬뿍 주고, 강낭콩씨 5개를 넣는다.
② B 접시에는 물을 주지 않고, 강낭콩씨 5개를 넣는다.
④ C 접시에는 물을 듬뿍 준 후 강낭콩씨 5개를 올리고, 은박 접시로 덮는다.
⑤ D 접시에는 물을 듬뿍 주고, 강낭콩씨 5개를 반으로 가른 후 배 부분만 넣는다.
⑥ 햇빛이 잘드는 곳에 네 개의 접시를 놓고 변화를 관찰한다.

주의사항

- 포비돈 용액은 약국에서 구입할 수 있다.
- A, C, D 접시에는 솜이 마르지 않도록 물을 주어야 한다.
- 포비돈 용액은 녹말과 만나면 청람색으로 바뀐다.
- 실험 1에서 강낭콩씨 대신 옥수수씨를 사용하면 변화가 빠르게 나타난다.
- 실험 2에서 강낭콩씨 대신 주위에서 구할 수 있는 씨앗을 이용해도 된다.

정답 및 해설 10쪽

1 포비돈 용액에 담가둔 강낭콩씨에서 나타나는 변화를 그림으로 그리고, 그 이유를 적어보세요.

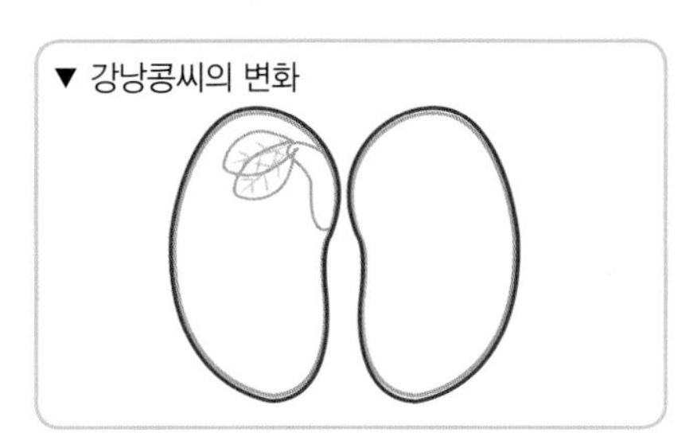

2 일주일 후 각 접시의 강낭콩에 생긴 변화를 적어보세요.

① 접시 A :

② 접시 B :

③ 접시 C :

④ 접시 D :

3 실험 2 를 통해 알 수 있는 사실을 3가지 적어보세요.

①

②

③

STEAM

4 요즘은 심어서 얻은 열매의 씨앗을 두었다가 이듬해에 심으면 열매를 맺지 못하는 경우가 많습니다. 농민들이 해마다 종자(씨앗)를 구입하도록, 종자 기업들이 종자에 유전자 조작을 했기 때문입니다. 우리나라의 경우 농작물 종자의 70%를 외국에서 수입하고 있는 상황이며, 앞으로 10년간 지불할 종자 비용이 8,000억 원이나 됩니다. 국내에서 종자를 연구하고 개발해야 하는 이유를 3가지 적어보세요.

Ⅲ 물체의 무게

05 용수철로 무게 재기

06 수평 잡기로 무게 재기

이 단원의 주요 내용

물체의 무게를 다룬다. 물체는 무게가 있고, 이를 측정하기 위해 저울을 사용한다. 양팔저울과 용수철저울로 물체의 무게를 재는 원리를 이해하고, 여러 가지 저울을 만들어 무게를 비교해 본다.

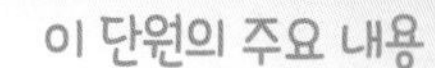

★ 2015 개정 교육과정 교과서

초등 3~4학년 군 :

4학년 1학기 3단원 물체의 무게

★ 다른 학년과의 연계

중학교 1~3학년 군 : 여러 가지 힘

탄성을 가진
05 용수철로 무게 재기

1 용수철로 무게 재기

1. 가정용 저울로 무게 재기

① 가정용 저울 살펴보기

- 접시를 누르면 바늘의 위치와 저울 안의 용수철의 ⓐ______가 변한다.
- 영점 조절 나사를 돌리면 저울의 바늘이 움직인다.

② 가정용 저울 사용 방법

㉠ 가정용 저울을 평평한 곳에 놓고 바늘이 ⓑ____점을 가리키는지 확인한다.

㉡ 접시 위에 무게를 재려는 물체를 올린다.

㉢ 바늘이 가리키는 눈금을 읽어 무게를 확인한다.

③ 가정용 저울 측정 결과

- 가정용 저울 안에 들어 있는 용수철이 늘어나면서 물체의 ⓒ______를 나타낸다.
- 물체가 무거울수록 저울 안의 용수철이 많이 늘어나고 눈금을 가리키는 바늘도 더 많이 돌아간다.

2. 저울이 필요한 이유

손으로 어림하는 것보다 물체의 무게를 ⓓ______하게 잴 수 있다.

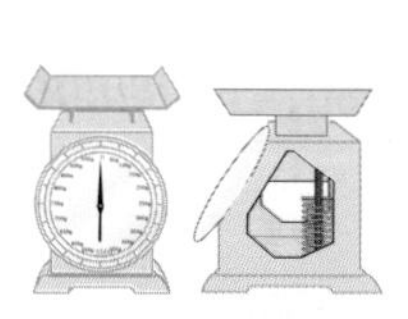
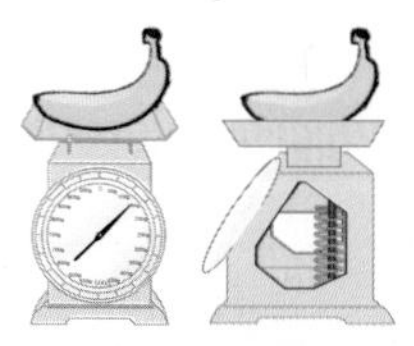
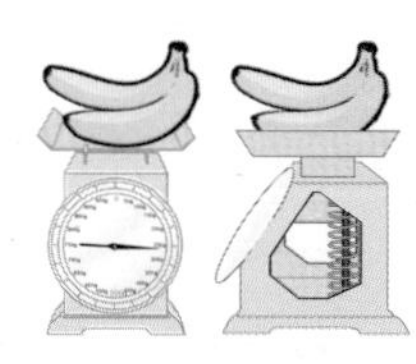
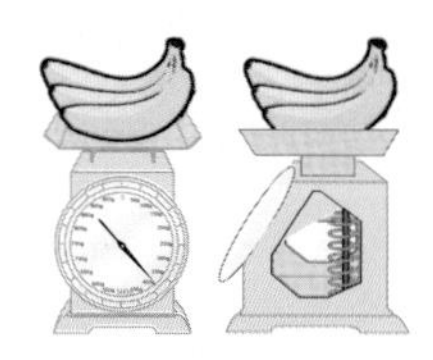

구분	바나나 1개	바나나 2개	바나나 3개
손으로 어림한 무게	100 g	200 g	300 g
가정용 저울로 잰 무게	110 g	215 g	326 g

2 용수철의 성질

1. 용수철의 성질

① ⓔ______ : 용수철을 손으로 가볍게 잡아당기면 늘어나고 손을 놓으면 원래 모양으로 되돌아가려는 성질

② ⓕ________ : 용수철을 손으로 가볍게 잡아당겨 늘였을 때 손을 놓으면 원래 모양으로 되돌아가려는 힘

개념 더하기

● **가정용 저울 원리**
물체의 무게를 재기 위하여 가정용 저울의 접시 위에 물체를 올려놓으면 접시가 내려오면서 쇠막대를 아래로 누르고, 쇠막대와 연결된 용수철이 아래로 늘어난다. 동시에 용수철과 연결된 바늘이 돌아간다.

● **저울의 최대 눈금**
저울로 물체의 무게를 잴 때는 저울의 최대 눈금을 확인해야 한다. 최대 눈금이 500 g이라는 뜻은 500 g보다 더 무거운 물체의 무게를 측정할 수 없다는 뜻이다. 최대 눈금이 큰 저울은 무거운 물체를 잴 수 있고, 최대 눈금이 작은 저울은 눈금이 세밀하기 때문에 물체의 무게를 더 정확하게 잴 수 있다.

용어 풀이

- **무게**
  지구가 물체를 끌어당기는 힘의 크기
- **탄성(탄알 彈, 성질 性)**
  외부의 힘에 의해 형태가 바뀐 물체가 원래의 상태로 되돌아가려는 성질

정답

ⓐ 길이 ⓑ 영 ⓒ 무게
ⓓ 정확 ⓔ 탄성 ⓕ 탄성력

③ 용수철을 너무 세게 잡아 당기면 다시 줄어들지 않는다.

➡ 용수철에 너무 무거운 물체를 매달지 않는다.

④ **용수철의 쓰임** : 깜짝 선물 상자, 쥐덫, 자동차와 자전거의 충격장치, 매트리스, 시계나 장난감의 태엽, 운동 기구 등

2. 용수철의 늘어난 길이 측정하기

탐구 용수철의 늘어난 길이 측정하기

탐구 과정

① 용수철을 스탠드에 걸어 고정한다.
② 용수철 끝에 20g 추 한 개를 건다.
③ 용수철의 끝 부분에 종이 자의 0cm를 맞춘다.
④ 집게를 이용하여 종이 자를 스탠드에 고정한다.
⑤ 20g 추 한 개를 걸고 용수철이 늘어난 위치를 종이 자에 표시한다.
⑥ 추의 개수를 한 개씩 늘려 가면서 늘어난 용수철의 위치를 종이 자에 표시한다.

탐구 결과

① 추의 개수를 한 개씩 늘릴 때마다 용수철의 길이가 ⓐ____ cm 씩 늘어난다.
② 물체의 무게가 두 배, 세 배가 되면 용수철의 늘어난 길이도 역시 두 배, 세 배 늘어난다.

추의 무게(g)	용수철의 늘어난 거리(cm)
0	0
20	3
40	6
60	9
80	12

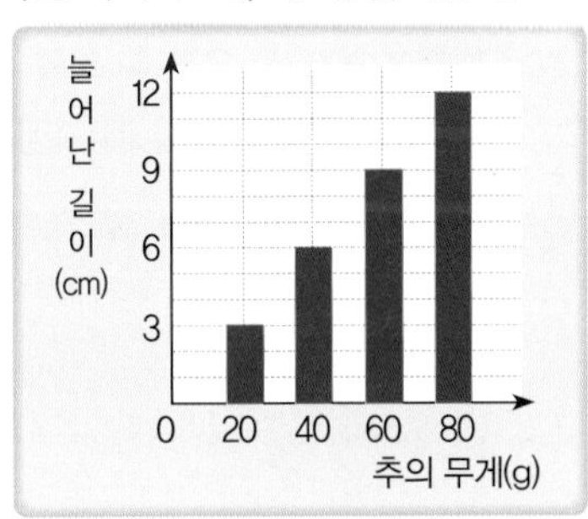

탐구 결론

① 용수철에 매단 물체의 무게가 일정하게 늘어나면 용수철도 ⓑ____하게 늘어난다.

더 생각해보기

① 용수철에 추를 하나 더 매달아 추가 5개가 되면 용수철이 ⓒ____ cm 늘어날 것이다.
② 무게가 50g인 추를 매달면 용수철의 늘어난 길이는 ⓓ____ cm가 될 것이다.
③ 이 용수철에 지우개를 달았을 때 용수철의 늘어난 길이가 12cm 늘어났다면, 이 지우개의 무게는 80g이다.

● 용수철에 20g 추 한 개를 걸고 종이 자의 0cm를 맞추는 이유

용수철에 물체를 매달면 용수철이 처음에 일정하게 늘어나지 않는 경우가 있다. 이것이 실험 결과에 영향을 미치지 않도록 하기 위해 20g 추 한 개를 걸고 실험을 시작한다.

● 실험 오차를 줄이는 방법

① 용수철의 늘어난 길이를 여러 번 측정하여 여러 번 나온 값을 사용한다.
예 3cm, 3cm, 3.1cm → 3cm

② 용수철의 늘어난 길이를 여러 번 측정하여 중간값을 사용한다.
예 3cm, 3.1cm, 3.2cm → 3.1cm

용어 풀이

탄성력(탄알 彈, 성질 性, 힘 力)
외부의 힘에 의해 형태가 바뀐 물체가 원래의 상태로 되돌아오려는 힘

정답

ⓐ 3 ⓑ 일정 ⓒ 15
ⓓ 7.5

05 용수철로 무게 재기

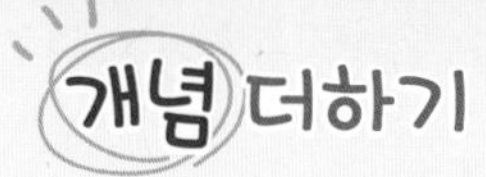

● 무게의 단위

무게란 지구가 물체를 끌어당기는 힘의 크기이므로 무게의 단위는 힘의 단위인 N을 써야 한다. 그러나 질량이 커지면 무게도 커지기 때문에, 일상생활에서는 질량의 단위인 kg, g을 무게의 단위로도 사용한다.

3 무게

1. 무게

① ⓐ______ : 지구가 물체를 끌어당기는 힘의 크기

② 단위 : ⓑ___(뉴턴)

③ 제자리 뛰기를 하면 다시 땅으로 떨어진다.

➡ ⓒ______가 물체를 지구 중심 쪽으로 끌어당기기 때문이다.

④ 물체를 들고 있을 때 힘이 든다.

➡ 지구가 물체를 끌어당기기 때문이다.

⑤ 가벼운 물체를 들 때보다 무거운 물체를 들 때 더 힘들다.

➡ 지구가 무거운 물체를 더 ⓓ___ 게 끌어당기고 있기 때문이다.

★탐구 무게만큼 느껴 보기

탐구 과정

① 가정용 저울에 200 mL 우유 한 팩을 올려 무게를 측정한다.

② 200 mL 우유 한 팩을 올렸을 때 가정용 저울의 바늘이 돌아가는 만큼 손바닥으로 저울을 눌러 힘을 느껴본다.

③ 가정용 저울에 200 mL 우유 두 팩을 올려 무게를 측정한다.

④ 200 mL 우유 두 팩을 올렸을 때 가정용 저울의 바늘이 돌아가는 만큼 손바닥으로 저울을 눌러 힘을 느껴본다.

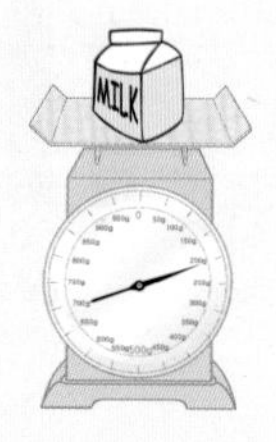

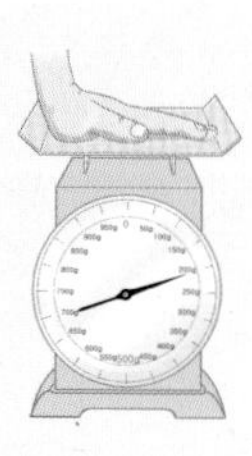

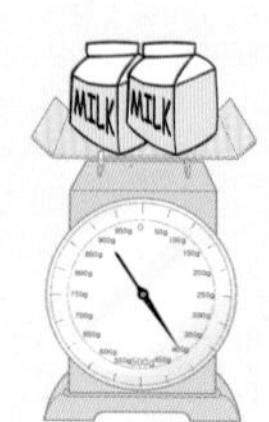

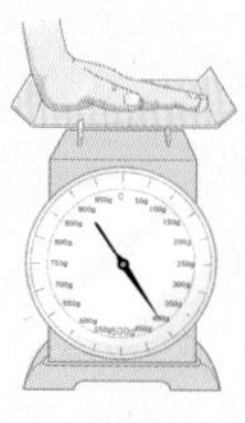

탐구 결과 및 결론

① 200 mL 우유 한 팩보다 두 팩의 무게만큼 누를 경우 힘이 더 든다.

② 지구는 가벼운 물체보다 무거운 물체를 더 ⓔ___ 게 끌어당긴다.

2. 질량과 무게

① **질량** : 물체 자체의 고유한 양으로 단위는 kg(킬로그램), g(그램)을 사용한다.

② **무게** : 지구가 물체를 끌어당기는 힘의 크기로 단위는 N(뉴턴)을 사용한다.

③ 시장에서 과일이나 고기를 사거나 몸무게를 재는 등의 일상생활에서는 무게와 질량을 명확히 구별하지 않는다.

용어 풀이

√ **질량(이룰 質, 양 量)**
물체마다 지니고 있는 고유한 양

√ **N(뉴턴)**
과학자 뉴턴의 이름을 딴 것으로 지구가 물체를 끌어당기는 힘의 크기를 나타내는 단위

√ **중력(무거울 重, 힘 力)**
지구가 지구 위에 있는 물체를 끌어당기는 힘

정답

ⓐ 무게 ⓑ N ⓒ 지구
ⓓ 세 ⓔ 세

4 용수철저울로 무게 재기

1. 용수철저울

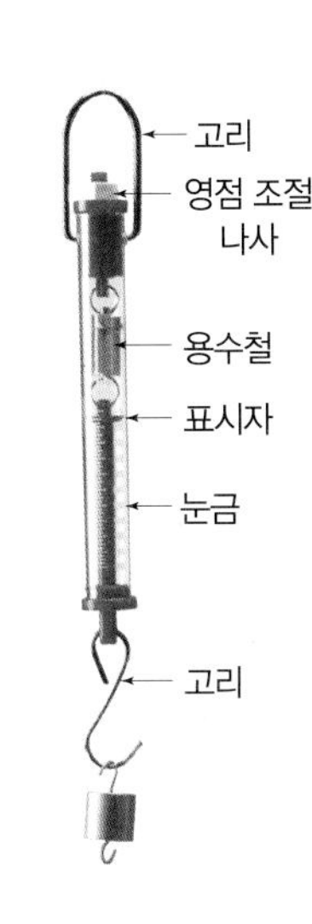

① **고리** : 용수철저울을 스탠드에 걸거나 무게를 재고자 하는 물체를 매달 때 사용한다.

② **영점 조절 나사** : 용수철저울에 아무것도 매달지 않은 상태에서 나사를 돌려서 저울의 눈금을 ⓐ____으로 조정한다.

③ **표시자** : 물체의 무게를 쉽게 눈으로 보면서 잴 수 있게 해주는 것으로 눈금을 가리키도록 되어 있다.

④ **눈금** : 물체의 무게를 나타낸다. 보통 N(뉴턴)과 kg(킬로그램) 또는 g(그램) 단위가 함께 표시되어 있다.

2. 용수철저울 사용 방법

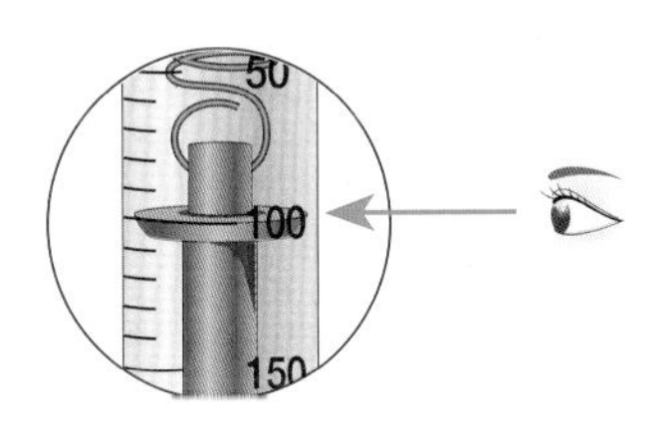

① 아무것도 매달지 않았을 때 저울의 눈금이 0을 가리킬 수 있도록 ⓑ__________를 돌려 조정한다.

② 재고자 하는 물체를 고리에 매단다.

③ 표시자가 멈추면, 표시자와 눈이 ⓒ______이 되는 위치에서 눈금을 읽는다.

3. 용수철저울 사용 시 주의사항

① 용수철저울로 물체의 무게를 재기 전에 저울의 무게 범위를 확인해야 한다.

- **너무 가벼운 물체를 매달았을 때** : 용수철의 길이 변화를 확인하기 어려워 무게를 재기 힘들다.
- **너무 무거운 물체를 매달았을 때** : 저울의 눈금을 벗어나 무게를 잴 수 없고, 저울이 고장 날 수 있다.

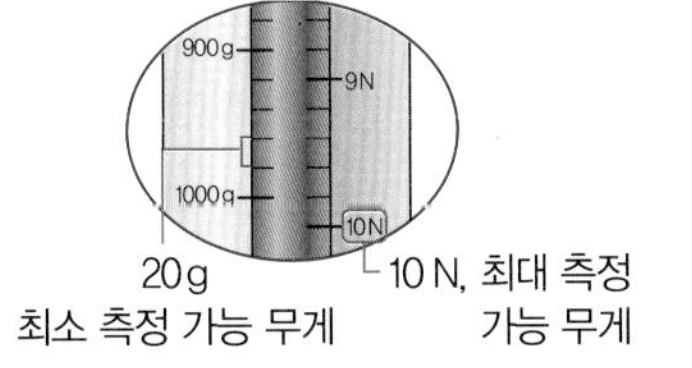

② 용수철저울의 측정 가능 범위를 벗어날 정도로 너무 무겁거나 너무 가벼운 물체의 무게는 재지 않는다.

★더 알아보기 용수철저울의 두 가지 눈금

① 일상생활에서는 무게의 단위로 g(그램)이나 kg(킬로그램)을 사용한다. 그러나 무게는 힘의 크기를 나타내는 것이므로 힘의 단위인 N(뉴턴)을 함께 표시한다.

② 1N은 약 100g, 2N은 약 200g에 해당한다.

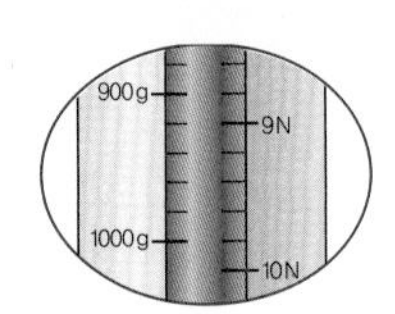

개념 더하기

● **용수철저울 영점 맞추기**

영점을 맞출 때에는 용수철저울을 똑바로 세운 뒤 눈금을 확인하면서 영점 조절 나사를 천천히 돌려가며 맞춘다.

용어 풀이

✓ **저울**

물체의 무게를 재는 데 쓰는 기구를 통틀어 이르는 말

정답

ⓐ 0 ⓑ 영점 조절 나사 ⓒ 수평

개념기르기

01 다음 〈보기〉는 가정용 저울의 사용 방법을 순서없이 나타낸 것입니다. 순서대로 바르게 연결한 것은 어느 것입니까? ( )

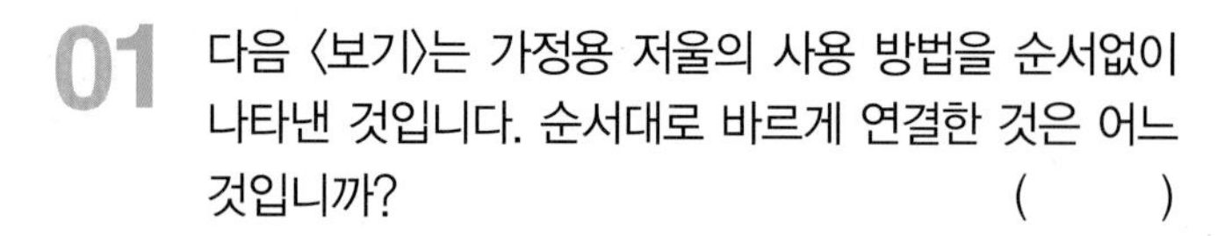

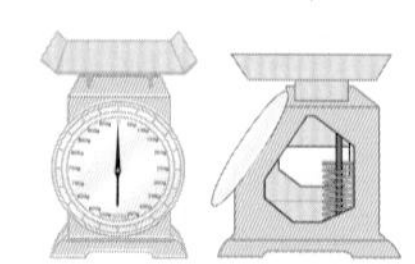

보기
㉠ 바늘이 영점을 가리키는지 확인한다.
㉡ 접시 위에 물체를 올리고 눈금을 읽는다.
㉢ 가정용 저울을 평평한 곳에 놓는다.

① ㉠ − ㉡ − ㉢ ② ㉠ − ㉢ − ㉡
③ ㉡ − ㉠ − ㉢ ④ ㉡ − ㉢ − ㉠
⑤ ㉢ − ㉠ − ㉡

02 다음 중 가정용 저울에 대한 설명으로 옳지 않은 것은 어느 것입니까? ( )

① 저울 안의 용수철이 늘어나면서 무게를 잰다.
② 물체가 무거울수록 눈금이 더 많이 돌아간다.
③ 최대 눈금이 1kg이면 1kg보다 무거운 물체만 측정할 수 있다.
④ 저울을 사용하는 것은 손으로 어림하는 것보다 정확하기 때문이다.
⑤ 저울에 올려놓았던 물체를 내리면 눈금이 원래대로 돌아가는 것은 용수철의 탄성 때문이다.

03 다음 중 용수철이 사용되는 물건으로 옳지 않은 것은 어느 것입니까? ( )

① 컴퓨터의 키보드
② 침대의 매트리스
③ 돌리면 풀이 나오는 딱풀
④ 뚜껑을 열면 장난감이 튀어나오는 상자
⑤ 여러 장의 종이를 철심으로 묶는 스테이플러

04 다음 중 용수철에 물체를 매달았을 때, 용수철이 늘어나는 길이와 관계 있는 것을 모두 고르시오. (,)

① 물체의 크기 ② 물체의 개수
③ 물체의 무게 ④ 물체의 색깔
⑤ 물체의 단단한 정도

신유형

05 다음은 용수철에 매달린 추의 개수에 따라 용수철이 늘어난 길이를 나타낸 표입니다. 추를 매달지 않았을 때 용수철의 길이가 10cm였다면 추를 7개 달았을 때 용수철의 길이는 어느 것입니까? ( )

추의 개수(개)	용수철이 늘어난 거리(cm)
1	2
2	4
3	6
4	8

① 20cm ② 22cm
③ 24cm ④ 26cm
⑤ 28cm

06 다음 중 무게에 대한 설명으로 옳지 않은 것은 어느 것입니까? ( )

① 무게의 단위는 kg, g을 사용한다.
② 지구가 물체를 끌어당기는 힘의 크기를 무게라고 한다.
③ 무거운 물체를 드는 것이 가벼운 물체를 드는 것보다 더 힘이 든다.
④ 물체를 들고 있을 때 힘이 드는 것은 지구가 물체를 끌어당기기 때문이다.
⑤ 지구가 물체를 지구 중심 쪽으로 끌어당기기 때문에 둥근 지구에서 붙어 생활할 수 있다.

07 다음 그림과 같이 지구 위의 A~D에서 들고 있는 공을 떨어뜨렸다면, 공이 바닥으로 떨어지는 것끼리 바르게 묶은 것은 어느 것입니까? ( )

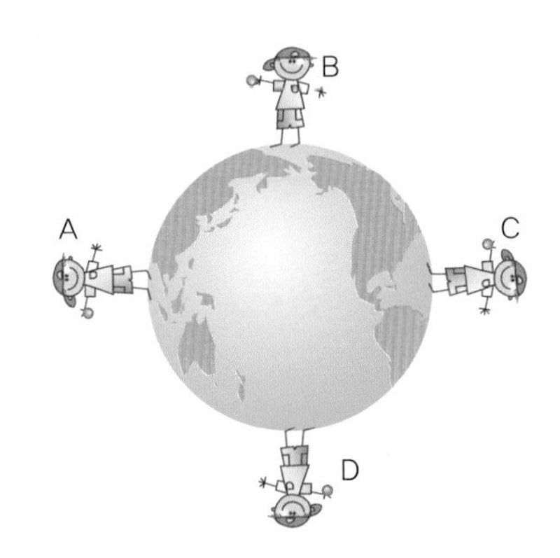

① B
② B, D
③ A, C
④ A, B, C
⑤ A, B, C, D

08 다음 중 용수철저울의 사용 방법으로 옳지 않은 것을 모두 고르시오. (,)

① 눈금을 읽을 때의 눈높이는 표시자보다 높아야 한다.
② 위 아래로 움직이던 표시자가 멈추면 눈금을 읽는다.
③ 용수철저울을 이용하면 아주 무거운 물체의 무게도 쉽게 잴 수 있다.
④ 무게를 재기 전에 저울의 무게 범위를 확인하고 저울을 고르는 것이 좋다.
⑤ 아무것도 매달지 않았을 때 저울의 눈금이 0을 가리킬 수 있도록 조정한다.

09 오른쪽 그림의 용수철저울이 측정 가능한 최소 무게는 어느 것입니까? ( )

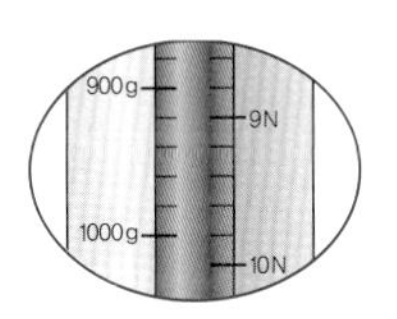

① 5g
② 10g
③ 15g
④ 20g
⑤ 25g

10 다음 중 용수철저울에서 무게를 잴 때 물체의 무게를 눈으로 보면서 잴 수 있게 해주는 것으로 눈금을 가리키도록 되어 있는 것은 어느 것입니까? ( )

① 고리
② 눈금
③ 용수철
④ 표시자
⑤ 영점 조절 나사

서술형으로 다지기

질량과 무게의 차이 알기

지구, 달, 목성에서의 질량은 어떻게 될까요?

지구, 달, 목성에서의 무게는 어떻게 달라질까요?

01 다음은 지구, 달, 목성의 모습입니다. 지구에서 질량이 60 kg인 사람의 몸무게가 약 600 N이라고 할 때, 달과 목성에서의 질량과 몸무게를 비교하고 그 이유를 함께 적어보세요. (단, 달에서의 중력은 지구의 $\frac{1}{6}$이고, 목성에서의 중력은 지구의 2.3배 입니다.)

손에 잡히는 문제 해결

추의 무게에 따른 용수철의 길이 변화

용수철을 나란하게 놓고 추를 재면 각각의 용수철에 걸리는 무게는 어떻게 되나요?

각각의 용수철에 걸린 힘을 더해 추의 무게를 구합니다.

02 다음 표는 용수철 한 개에 무게가 10 g인 추의 개수를 달리하면서 용수철의 늘어난 길이를 나타낸 것입니다. 그림과 같이 이 용수철 2개를 나란하게 연결하여 추를 매달았더니 용수철이 각각 6 cm 늘어났습니다. 용수철 2개에 걸린 추의 무게가 몇 g인지 풀이 과정과 함께 적어보세요.

추의 개수(개)	0	1	2	3	4
늘어난 길이(cm)	0	2	4	6	8

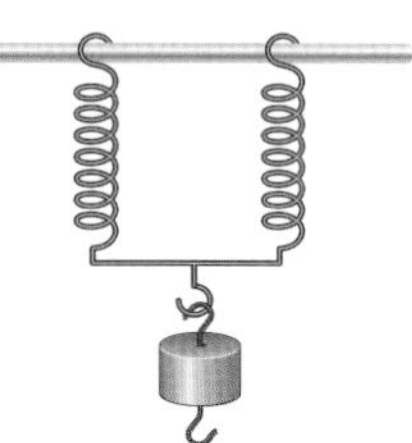

03 다음은 서로 다른 용수철 두 개를 나란하게 연결한 모습이고, 표는 용수철 A와 B가 추의 무게에 따라 늘어난 길이를 나타낸 것입니다. 만약 이 용수철에 55g의 추를 매달면 용수철이 총 늘어나는 길이는 몇 cm인지 풀이 과정과 함께 적어보세요.

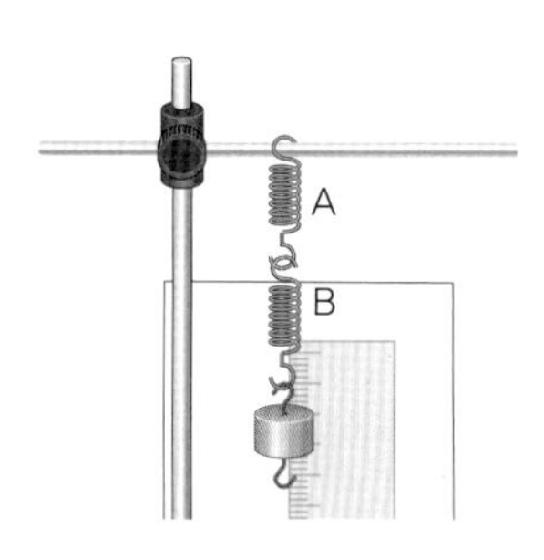

추의 무게(g)	0	10	20	30	40
A(cm)	0	4	8	12	16
B(cm)	0	5	10	15	20

손에 잡히는 문제 해결

용수철 A가 무게에 따라 늘어나는 길이는 얼마입니까?

▼

용수철 B가 무게에 따라 늘어나는 길이는 얼마입니까?

▼

추를 매달았을 때 용수철 A와 B에 걸리는 무게는 얼마입니까?

04 다음은 3종류의 저울을 가지고 필통의 무게를 각각 3번씩 측정한 값입니다. 측정 결과를 통해 잘못된 저울을 고르고, 그렇게 생각한 이유를 적어보세요.

구분	용수철저울	앉은뱅이 저울	전자 저울
1차	210g	199g	200.1g
2차	210g	200g	200.1g
3차	210g	201g	200.1g

손에 잡히는 문제 해결

실험 결과 분석하기

▼

각각의 저울이 측정한 값 중 가장 크게 차이나는 값은 무엇인가요?

▼

측정한 값이 다른 원인을 분석하여 봅니다.

융합사고력 키우기

STEAM

- ✓ Science
  - ▶ 무게
- ✓ Technology
  - ▶ 저울
- ✓ Engineering
  - ▶ 우주 저울
- Art
- Mathmatics

우주에서의 무게 측정

인류는 선사시대부터 저울을 만들기 시작했고 기원전 1500년 경 0.5 g 정도의 질량까지 측정할 수 있는 저울을 개발했다. 과학기술이 발전함에 따라 지렛대형, 용수철형, 액체압력식, 부력식, 전기식 등 다양한 형태로 저울이 개발됐고, 100톤 이상에서 1억 분의 1 g 이하까지의 초소형 무게를 측정하는 저울도 등장했다.

이러한 정밀한 저울들이 국제우주정거장(ISS)에서도 작동할까? 결론부터 말하면 그렇지 않다. ISS에는 NASA 등에서 개발한 저울이 있긴 하지만 이 저울로 질량을 잰다면 수백 g의 오차가 발생하는 것을 감수해야 한다. 우주정거장 건설이나 각종 우주 과학실험용 저울이라면 신뢰도가 높아야 할 것 같지만 현실은 그렇지 못하다.

지상에서는 사람이 체중계에 올라가면 자동적으로 몸무게가 표시된다. 지구가 중력으로 인체를 잡아당기는 정도가 바로 몸무게인 것이다. 이 중력이 줄어들수록 무게는 줄어들게 된다. 즉 지구에서 무게가 60 kg이라면 중력이 1/6인 달에서는 10 kg 정도의 몸무게가 되는 것이다.

우주 무중력 상태

1 정밀한 저울을 국제 우주 정거장(ISS)에 가져가서 물체의 무게를 재었을 때 작동하지 않는 이유를 적어보세요.

용어 풀이

- **선사시대**
  문자가 만들어지기 이전의 시대로 기록이 남아 있지 않은 역사를 말한다.
- **부력**
  물에 잠긴 물체가 중력과 반대 방향으로 받는 힘으로 물체가 물에 들어가면 떠오르는 힘이 부력이다.

2 국제 우주 정거장(ISS)이나 우주로 나가거나 중력이 작용하더라도 다른 힘과 상쇄되어 중력이 작용하지 않는 곳에서는 중력이 없는 무중력 상태를 경험하게 됩니다. 무중력 상태에서 경험하게 되는 현상을 추리하여 3가지 이상 적어보세요.

중력에 의한 현상 생각해 보기

중력이 없는 곳에서 물체들은 어떻게 있을까요?

중력이 없는 곳에서 내 몸에 일어나는 변화는 무엇일까요?

논술형

3 스카이콩콩은 길다란 막대기에 발판을 장착하고 용수철의 탄성을 이용해 콩콩 뛰는 놀이기구입니다. NASA에서 개발한 우주인의 무게를 재는 저울의 구조는 스카이콩콩과 비슷한 구조를 가졌는데 그 원리를 추리하여 적어보세요.

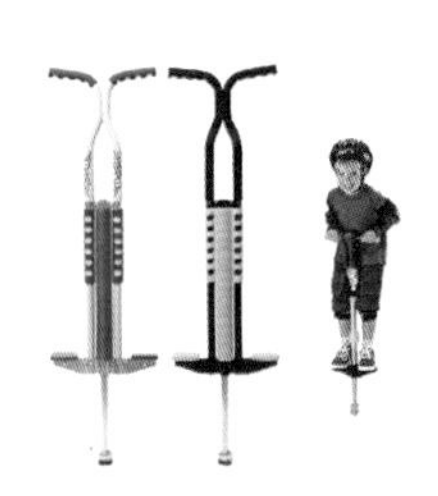

손에 잡히는 STEAM

스카이콩콩 관찰하기

중력이 없는 곳에서 무게를 재려면 어떻게 해야 할까요?

스카이콩콩과 비슷한 구조의 저울에서 중력과 같은 힘을 내려면 어떻게 작동하여야 할까요?

어느 쪽으로도 기울어지지 않은

06 수평 잡기로 무게 재기

1 모빌로 수평 잡기

1. 수평과 수평 잡기

① ⓐ______ : 어느 쪽으로도 기울어지지 않고 평형을 이루고 있는 상태

② **수평 잡기** : 어느 쪽으로도 기울어지지 않고 평형을 이루도록 만드는 것

2. 모빌로 수평 잡기

탐구 모빌로 수평 잡기

탐구 과정

① 빵 끈으로 스탠드와 꼬치 막대를 연결한다.
② 무게가 같은 고무찰흙 두 개를 꼬치 막대 양쪽 끝에 꽂는다.
③ 꼬치 막대의 위치를 좌우로 옮기면서 수평을 잡는다.
④ 새로운 빵 끈으로 스탠드와 꼬치 막대를 연결한다.
⑤ 꼬치 막대 한쪽 끝에 남아 있는 고무찰흙 한 개를 꽂고, 다른 쪽 끝에는 ③에서 만든 모빌을 빵 끈으로 연결한다.
⑥ 새로운 꼬치 막대를 좌우로 옮기면서 수평을 잡는다.

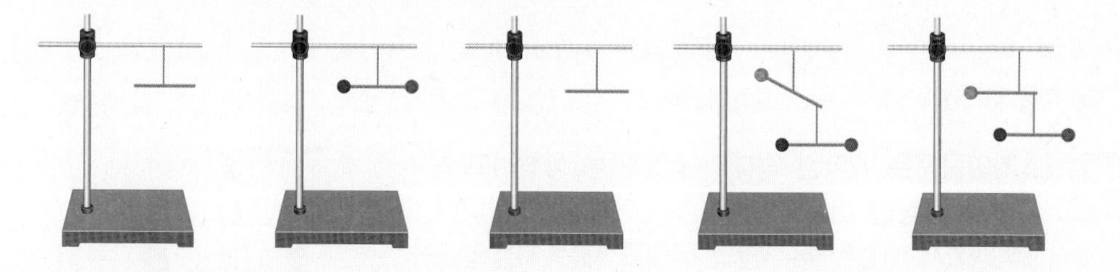

탐구 결과 및 결론

① 무게가 같은 경우에는 빵 끈을 양쪽의 고무찰흙 ⓑ______에 위치시키면 수평이 된다.
② 무게가 다른 경우에는 빵 끈을 더 ⓒ______운 고무찰흙 쪽에 가깝게 위치시키면 수평이 된다.

3. 수평을 잡는 방법

무게가 같은 물체로 수평 잡기	무게가 다른 물체로 수평 잡기
빵 끈을 두 고무찰흙의 가운데에 오도록 한다.	빵 끈을 무거운 쪽으로 더 가깝게 한다.

개념 더하기

● **수평 잡기를 이용한 물지게**
수도가 없던 옛날, 물을 길어 나르기 위하여 물지게를 사용했다. 양쪽 물통에 물이 똑같이 담겨 있는 경우, 양쪽의 무게가 같으므로 어깨에 짊어지는 부분을 가운데에 달아야 수평이 되어 물이 쏟아지지 않는다.

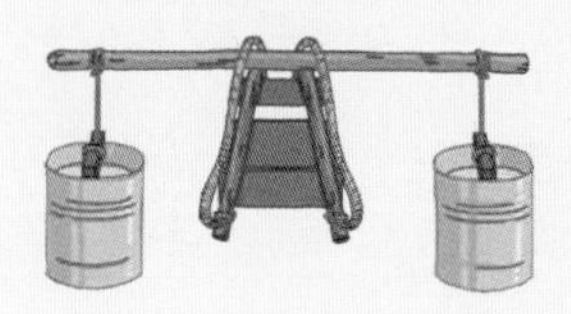

용어 풀이

모빌
철사나 실로 여러 가지 모양의 물체를 매달아 균형을 이루며 움직이게 만든 것

정답
ⓐ 수평 ⓑ 가운데
ⓒ 무거

2 수평 잡기의 원리

1. 수평 잡기의 원리 생각하여 보기

몸무게가 비슷한 친구와 탈 때	몸무게가 다른 엄마와 탈 때
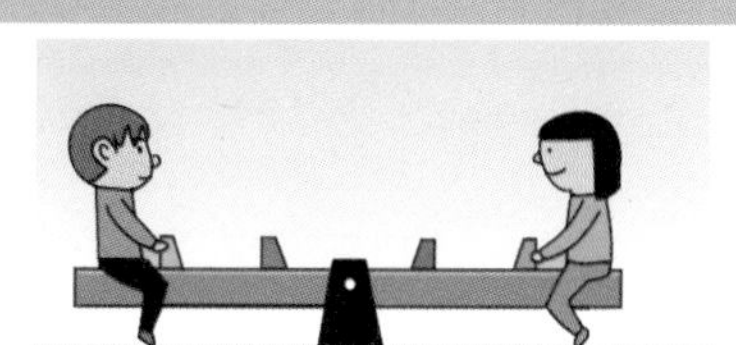	
시소의 받침점으로부터 ⓐ______ 거리에 앉아서 탄다.	나보다 무거운 엄마가 시소의 받침점으로부터 더 ⓑ______ 앉는다.

2. 수평 잡기 판으로 수평 잡기

① 물체의 무게가 같은 경우 : 빨간색 쪽 구멍에 클립 한 개를 매달았을 때 수평을 이루는 파란색 쪽 구멍의 번호는 다음과 같다.

빨간색 쪽 구멍에 클립 한 개	1	2	3	4	5	6	7	8	9	10
파란색 쪽 구멍에 클립 한 개	1	2	3	4	5	6	7	8	9	10

② 물체의 무게가 다른 경우 : 빨간색 쪽 구멍에 클립 두 개를 매달았을 때 수평을 이루는 파란색 쪽 구멍의 번호는 다음과 같다.

빨간색 쪽 구멍에 클립 두 개	1	2	3	4	5	6	7	8	9	10
파란색 쪽 구멍에 클립 한 개	2	4	6	8	10	–	–	–	–	–

3. 수평 잡기의 원리

물체의 무게가 같은 경우	물체의 무게가 다른 경우
각각의 물체를 받침점으로부터 ⓒ______ 거리에 놓는다.	무거운 물체를 가벼운 물체보다 받침점에 더 ⓓ______에 놓는다.

개념 더하기

● **수평 잡기의 원리**

왼쪽(클립의 개수×구멍의 위치) = 오른쪽(클립의 개수×구멍의 위치)

①

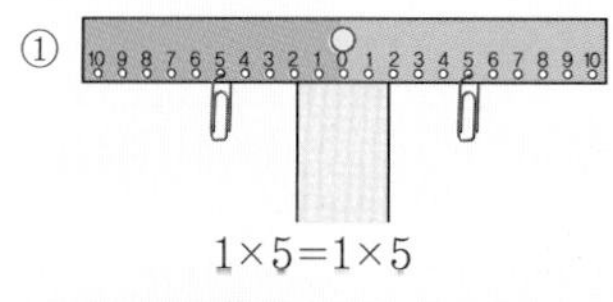

$1\times5=1\times5$

②

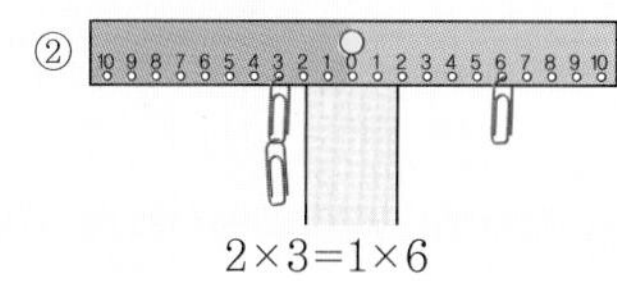

$2\times3=1\times6$

정답

ⓐ 같은 ⓑ 가까이 ⓒ 같은 ⓓ 가까이

수평 잡기로 무게 재기

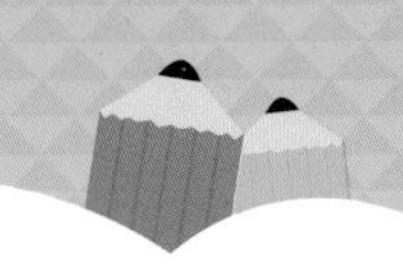

개념 더하기

● **분동**
물체의 무게를 비교할 때 클립이나 바둑돌처럼 모양과 무게가 일정한 기준 물체를 사용할 수 있다. 그러나 기준 물체를 사용하면 항상 단위를 말하여야 하고, 기준 물체가 다른 경우 무게의 표현도 다르게 된다. 따라서 무게를 정확하게 재기 위해서 분동을 사용한다.

● **윗접시저울에서 분동 사용 방법**
- 분동을 올릴 때는 물체의 무게를 어림하여 비슷하다고 생각되는 분동을 먼저 올린다.
- 가벼운 분동을 먼저 사용하면 무게를 재는 데 시간이 너무 오래 걸린다.
- 분동은 정확한 무게를 유지하여야 하므로, 반드시 집게를 사용하여 분동을 집는다.

정답
ⓐ 무거 ⓑ 수평 ⓒ 용수철 ⓓ 수평

3 윗접시저울로 무게 재기 심화

1. 윗접시저울 모양

① 접시가 두 개 있다.
② 가운데를 축으로 양팔이 위 아래로 움직인다.
③ 가운데에 수평을 확인할 수 있는 바늘이 있다.
④ 분동과 집게가 있다.

접시 바늘 눈금
영점 조절 나사

2. 윗접시저울 사용법

① 영점 조절 나사를 돌려 윗접시저울의 영점을 조절한다.
② 주로 사용하는 손의 반대쪽 접시에 재고자 하는 물체를 올려놓는다.
③ 주로 사용하는 손 쪽의 접시에 집게로 ⓐ_____운 분동부터 올려놓는다.
④ 접시에 여러 가지 분동을 올려 놓으면서 저울의 팔이 수평이 되도록 만든다.
⑤ ⓑ_____이 되면, 분동의 무게를 모두 합하여 물체의 무게를 구한다.

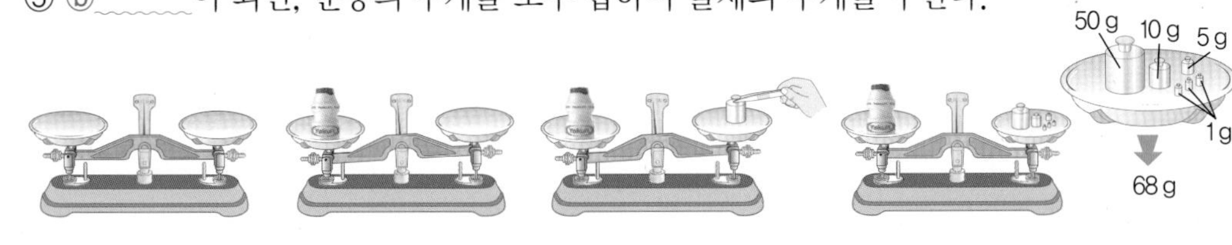

4 여러 가지 종류의 저울

1. 여러 가지 저울 살펴보기

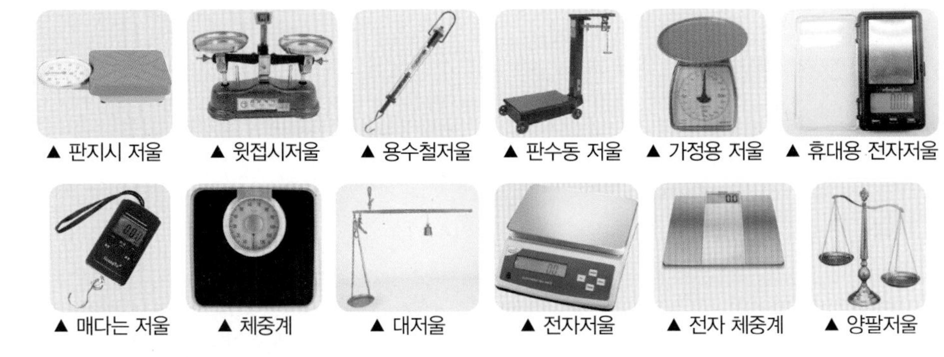

▲ 판지시 저울 ▲ 윗접시저울 ▲ 용수철저울 ▲ 판수동 저울 ▲ 가정용 저울 ▲ 휴대용 전자저울
▲ 매다는 저울 ▲ 체중계 ▲ 대저울 ▲ 전자저울 ▲ 전자 체중계 ▲ 양팔저울

2. 여러 가지 저울 분류하기

ⓒ_____의 성질을 이용한 저울	판지시 저울, 용수철저울, 가정용 저울, 매다는 저울, 체중계
ⓓ_____ 잡기 원리를 이용한 저울	윗접시저울, 판수동 저울, 대저울, 양팔저울
전자저울	휴대용 전자저울, 전자저울, 전자 체중계

5 나만의 저울로 무게 재기

1. 나만의 저울 만들기 계획 세우기

원리	용수철의 성질, 수평 잡기의 원리 등
재료	• 용수철 저울 : 실, 클립, 낚시 찌통, 용수철, 철사 등 • 양팔 저울 : 골판지, 책받침, 클립, 털실, 종이컵, 빈 상자 등
기준 물체	바둑돌, 클립, 동전, 추 등

2. 나만의 저울 만들기

① 자를 이용한 간이 저울 만들기 : ⓐ＿＿＿＿＿＿의 원리 이용

㉠ 셀로판테이프를 사용하여 자 양쪽 끝과 중앙에 클립을 붙인다.

㉡ 접시의 네 곳에 실을 매단다.

㉢ 자 양쪽 끝에 접시를 걸고 수평을 맞춘다.

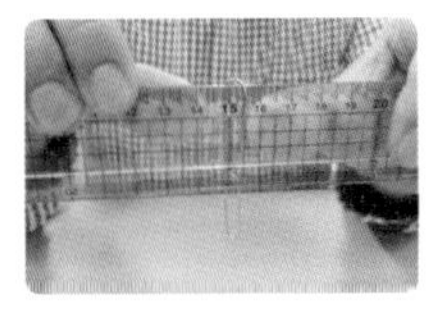
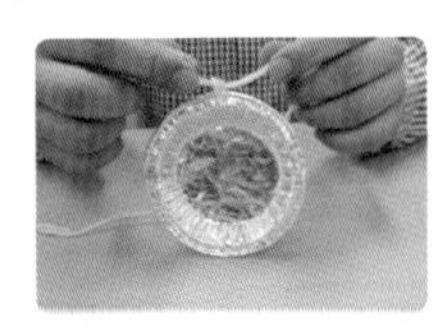

② 용수철을 이용한 간이 저울 만들기 : ⓑ＿＿＿＿＿＿의 성질 이용

㉠ 용수철에 실을 단다.

㉡ 접시의 네 곳에 실을 매달고 용수철 끝에 접시를 매단다.

㉢ 투명한 통에 적당한 크기의 흰 종이를 넣고, 용수철을 집어 넣는다.

㉣ 용수철의 한 쪽 끝을 클립을 이용하여 투명한 통에 고정시킨다.

㉤ 기준 물체를 이용하여 눈금을 매긴다.

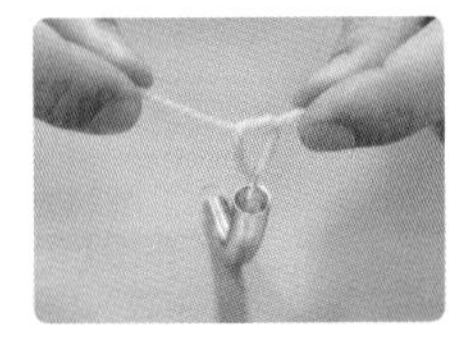
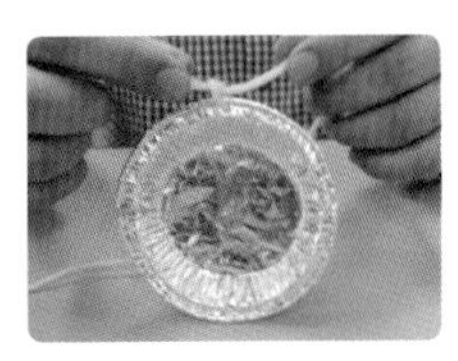

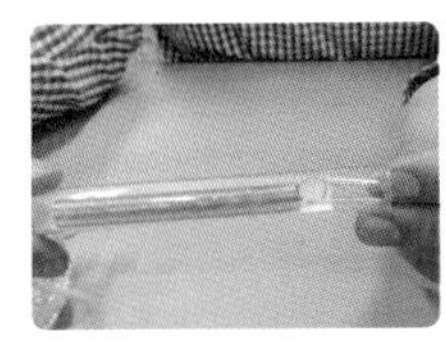

③ 기준 물체의 조건 : ⓒ＿＿＿＿가 일정하고 적당히 작아야 한다. 크기가 적당해야 한다.

3. 나만의 저울로 여러 가지 물체의 무게 재기

예 풀 : 바둑돌 6개, 교과서 : 390 g, 볼펜 : 클립 10개

4. 친구들과 만든 저울 비교하기

기준 물체를 다르게 하여 눈금을 그었기 때문에 무게를 잰 결과가 다르다.

개념 더하기

● **저울의 정확성 확인하기**
추를 기준 물체로 사용하여 저울의 눈금을 표시하고, 자신이 만든 저울로 잰 물체의 무게와 진자저울로 잰 물체의 무게를 비교한다.

용어 풀이

✓ **기준 물체**
여러 가지 물체의 무게를 비교할 때 사용할 수 있는 물체로 바둑돌, 클립, 동전 등이 있다.

정답

ⓐ 수평 잡기 ⓑ 용수철
ⓒ 무게

개념기르기

01 다음 모빌의 수평을 잡기 위해 빵 끈을 움직여야 하는 방향과 이유로 옳은 것은 어느 것입니까? (　　)

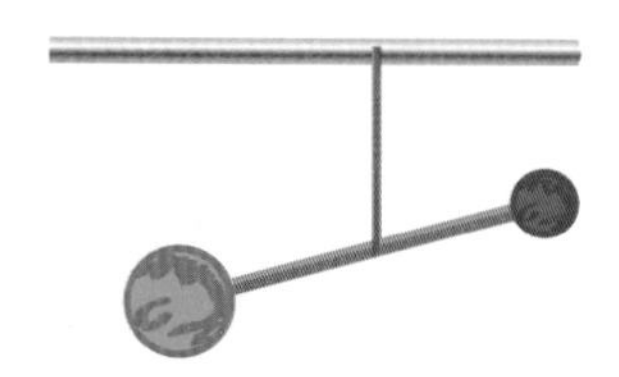

① 오른쪽 – 빵 끈을 무거운 쪽에서 멀게 한다.
② 오른쪽 – 빵 끈을 무거운 쪽에 가깝게 한다.
③ 오른쪽 – 빵 끈을 가운데에 오게 한다.
④ 왼쪽 – 빵 끈을 무거운 쪽에 가깝게 한다.
⑤ 왼쪽 – 빵 끈을 가벼운 쪽에 더 가깝게 한다.

중요

02 다음 모빌의 수평을 잡기 위해 빵 끈을 움직여야 하는 방향으로 옳은 것은 어느 것입니까? (　　)

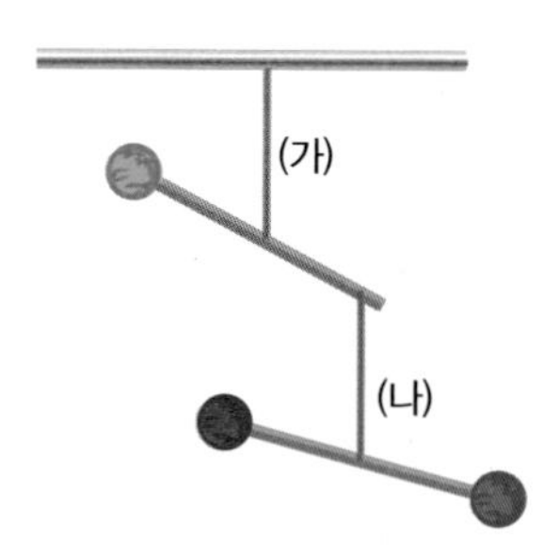

① (가)만 오른쪽으로 움직인다.
② (나)만 왼쪽으로 움직인다.
③ (가)는 오른쪽으로, (나)는 왼쪽으로 움직인다.
④ (가)는 왼쪽으로, (나)는 오른쪽으로 움직인다.
⑤ (가), (나) 모두 오른쪽으로 움직인다.

03 다음과 같이 수평 잡기 판의 빨간색 쪽 구멍 5에 클립 두 개를 걸었습니다. 수평을 잡기 위해 클립 한 개를 걸어야 하는 파란색 쪽 구멍의 번호로 옳은 것은 어느 것입니까? (　　)

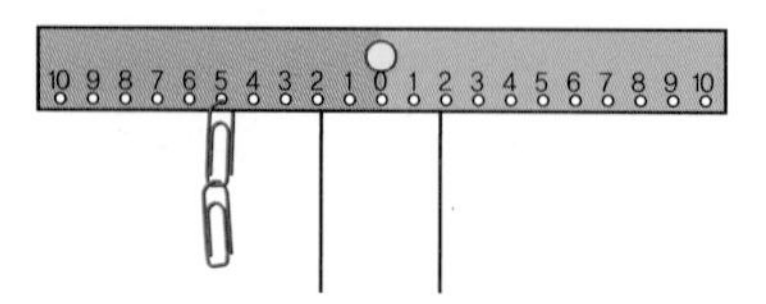

① 구멍 2　　② 구멍 4
③ 구멍 6　　④ 구멍 8
⑤ 구멍 10

신유형

04 다음과 같이 수평 잡기 판의 빨간색 쪽 구멍 9에 클립 두 개를 걸었습니다. 수평을 잡기 위해 클립 세 개를 모두 같은 파란색 구멍에 걸 때 구멍의 번호로 옳은 것은 어느 것입니까? (　　)

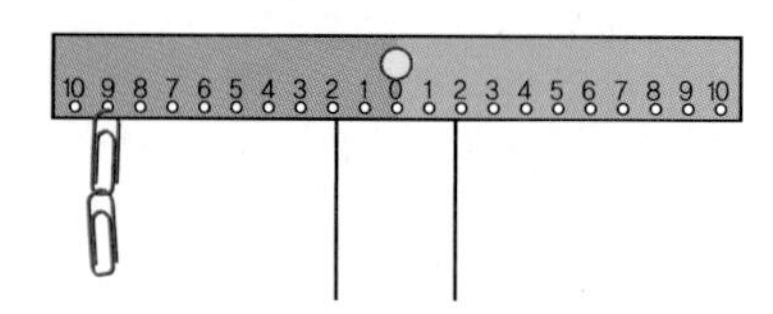

① 구멍 2　　② 구멍 4
③ 구멍 6　　④ 구멍 8
⑤ 구멍 10

05 다음 〈보기〉 중 무게가 다른 물체의 수평을 잡는 방법으로 옳은 것을 모두 고른 것은 어느 것입니까? (　　)

보기
㉠ 가벼운 물체를 받침점에 더 가까이 놓는다.
㉡ 무거운 물체를 받침점에 더 가까이 놓는다.
㉢ 두 물체를 받침점으로부터 같은 거리에 놓는다.

① ㉡　　② ㉠, ㉡
③ ㉠, ㉢　　④ ㉡, ㉢
⑤ ㉠, ㉡, ㉢

06 다음 중 윗접시저울로 물체의 무게를 잴 때 가장 먼저 해야 할 일은 어느 것입니까? ( )

① 영점을 조절한다.
② 분동을 접시에 올려놓는다.
③ 물체를 접시에 올려놓는다.
④ 집게를 사용하여 분동을 내린다.
⑤ 접시에 올려놓은 분동의 무게를 합한다.

신유형

07 다음은 윗접시저울로 유리컵의 무게를 잴 때 사용한 분동을 나타낸 것입니다. 유리컵의 무게를 재는 시간을 줄이기 위해 가장 먼저 사용해야 할 분동은 어느 것입니까? ( )

> 분동 100g 한 개, 분동 10g 세 개, 분동 1g 두 개

① 분동 1g 한 개
② 분동 1g 두 개
③ 분동 10g 한 개
④ 분동 10g 세 개
⑤ 분동 100g 한 개

08 다음 중 분동에 대한 설명으로 옳은 것을 모두 고르시오. (,)

① 분동의 종류는 한 가지이다.
② 분동의 모양은 여러 가지이다.
③ 분동은 플라스틱으로 만들어졌다.
④ 분동을 집을 때는 반드시 집게를 사용한다.
⑤ 분동을 사용한 후에는 반드시 물로 씻어 말린 후 보관한다.

09 다음 중 수평 잡기 원리를 이용한 저울로 옳지 않은 것은 어느 것입니까? ( )

①
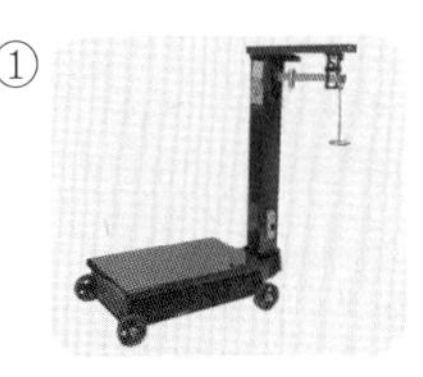
판수동 저울

②
판지시 저울

③
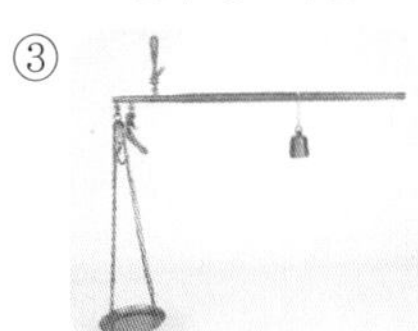
대저울

④

윗접시저울

⑤

양팔저울

10 다음 〈보기〉는 윗접시저울의 사용 방법을 순서없이 나타낸 것입니다. 사용 방법을 순서대로 나타낸 것은 어느 것입니까? ( )

> **보기**
> ㉠ 접시에 분동을 놓으면서 저울이 수평이 이루어지게 한다.
> ㉡ 접시에 무게를 재고자 하는 물체를 올려놓는다.
> ㉢ 저울을 평평한 곳에 놓고 영점을 조절한다.
> ㉣ 수평을 잡고 분동의 무게를 합하여 물체의 무게를 구한다.

① ㉠ - ㉡ - ㉢ - ㉣
② ㉡ - ㉠ - ㉣ - ㉢
③ ㉢ - ㉡ - ㉠ - ㉣
④ ㉢ - ㉠ - ㉡ - ㉣
⑤ ㉣ - ㉢ - ㉠ - ㉡

손에 잡히는 문제 해결

수평 잡기의 원리 알기

나무도막의 무게를 1로 하면 받침점 왼쪽에 걸리는 무게는 얼마인가요?

받침점 왼쪽에 걸리는 무게와 같으려면 받침점 오른쪽 어느 위치에 나무도막을 놓아야 할까요?

01 다음과 같이 수평대에 나무도막 한 개를 올려 수평을 잡으려고 합니다. 나무도막을 어느 곳에 올려놓아야 수평이 될 수 있을지 풀이 과정과 함께 적어보세요.

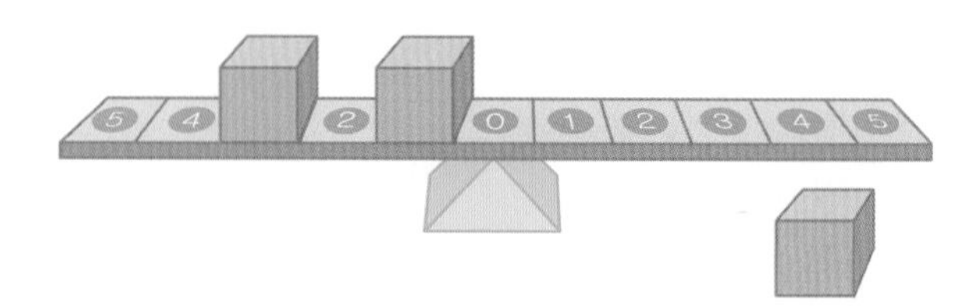

손에 잡히는 문제 해결

임산부의 몸무게 중심 찾기

몸무게 중심이 앞으로 쏠렸을 때 중심을 바로 잡으려면 어떻게 해야 하나요?

허리 뒤에 손을 올리면 몸무게의 중심이 어떻게 변하나요?

02 다음과 같이 배가 많이 나온 임산부는 걸을 때 허리 뒤로 손을 얹는 모습을 자주 볼 수 있습니다. 이렇게 임산부가 허리에 손을 뒤로 얹는 이유는 무엇일지 적어보세요.

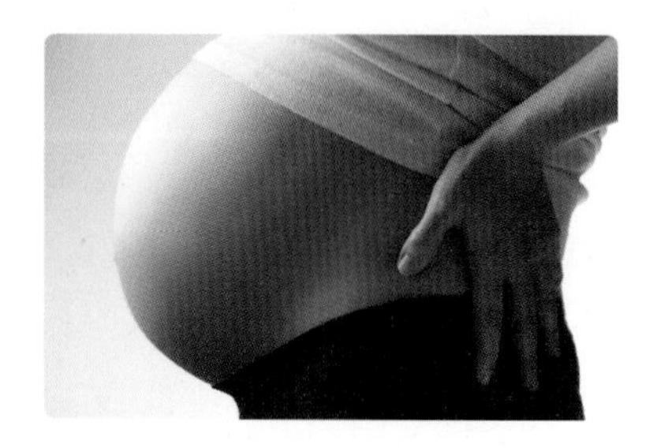

03 초콜릿 1개는 저울을 통해 무게를 잴 수 있지만 사탕 1개는 무게가 매우 작아 측정하기 어렵습니다. 초콜릿 1개의 무게를 알고 있을 때, 수평 잡기 판을 이용하여 사탕 1개의 무게를 알 수 있는 방법을 2가지 이상 적어보세요.

초콜릿을 수평 잡기에 걸고 여러 개의 사탕으로 수평을 잡아 봅니다.

▼

초콜릿 1개와 사탕 1개를 이용해 수평을 잡아 봅니다.

▼

사탕 1개와 초콜릿을 조각으로 만들어 수평을 잡아 봅니다.

04 모양과 크기가 같은 빨간색, 주황색, 노란색, 초록색, 파란색, 남색, 보라색, 흰색, 검은색 바둑돌 9개 중 한 개의 무게가 나머지 8개의 무게보다 가볍습니다. 양팔 저울을 두 번만 사용하여 가벼운 바둑돌을 찾는 방법을 적어보세요.

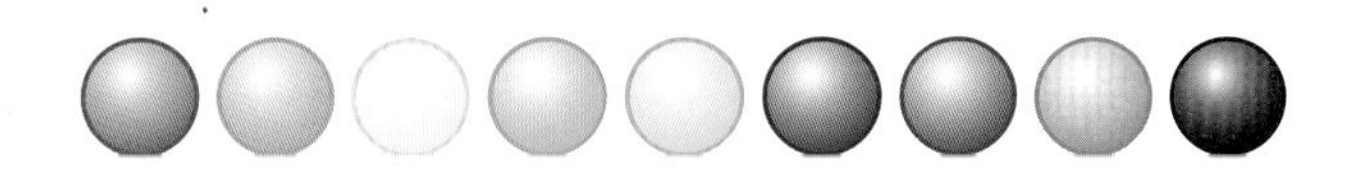

손에 잡히는 문제 해결

바둑돌을 3개씩 묶어 두 묶음의 무게를 비교해 봅니다.

▼

두 묶음의 무게를 비교하여 세 묶음 중 가벼운 돌이 있는 묶음을 찾습니다.

▼

바둑돌 3개 중 2개의 무게를 비교해 가벼운 바둑돌을 찾습니다.

융합사고력 키우기

STEAM

- ✓ Science
  - ▶ 저울의 원리
- Technology
- ✓ Engineering
  - ▶ 체중계
- Art
- Mathmatics

체중저울의 원리

체중저울은 지렛대, 스프링, 랙, 피니언으로 구성되어 있다. 저울 위에 올라서면 체중이 지렛대의 지지점 가까이 걸리게 된다. 지렛대에 걸린 힘은 모두 C점을 통해서 B에 걸려있는 스프링으로 전달되어 스프링이 아래로 당겨지게 된다. 그러면 지렛대의 앞부분인 A부분이 아래로 내려오게 되고 그 결과 A에 걸려있던 판 P도 같이 아래로 처지게 된다. 그러나 판 P는 지지점 O에 걸려있으므로 O 둘레를 시계 방향으로 회전하게 된다. 이 회전은 다시 판의 아래에 걸려있는 랙으로 전달된다. 그런데 랙은 왼쪽 끝에 있는 스프링에 의해 늘 왼쪽으로 당겨져 있으므로 판 P가 시계 방향으로 회전하면 랙도 왼쪽으로 움직이게 된다. 그러면 랙에 맞물려있는 피니언은 상대적으로 랙과 반대 방향으로 회전하게 되는데 이 결과 피니언에 연결되어있는 표시판의 눈금이 회전하게 되어 체중을 표시하게 된다. 이때 지시판의 바늘이 0에 있어야 정확한 체중을 잴 수 있으므로 체중계의 측면에 B점을 손으로 움직여서 눈금을 0점에 맞추어 사용할 수 있다.

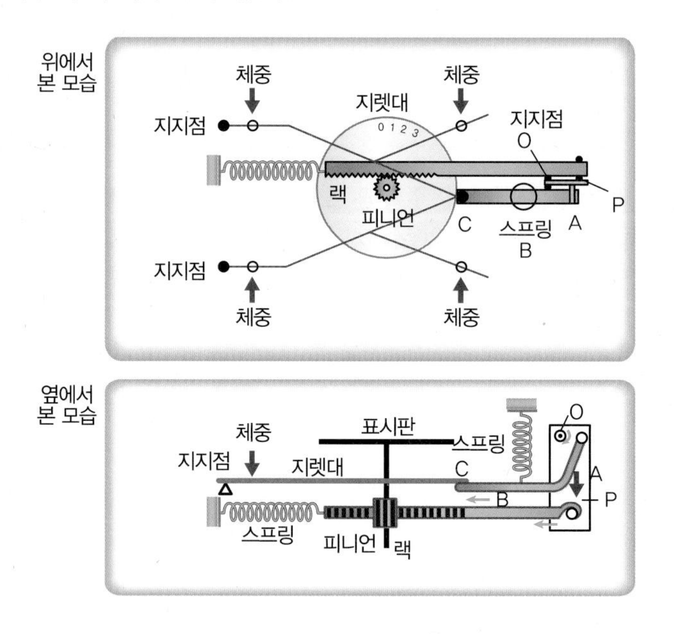

1 용수철저울을 이용하기 전이나 윗접시저울을 이용하기 전에 제일 먼저 해야 할 일은 무엇인가요?

용어 풀이

랙
곧고 평평한 막대기에 톱니를 붙인 것으로 회전 운동을 직선 운동으로 바꾸어 준다.

피니언
맞물리는 한 쌍의 크고 작은 톱니바퀴 중 작은 톱니바퀴를 말한다.

정답 및 해설
14쪽

2 현대인들에게 늘어나는 몸무게를 수시로 확인하는 용도로 매우 유용한 도구는 체중저울입니다. 체중저울의 작동 원리를 살펴보면 골드버그 장치와 같이 간단한 원리를 어렵게 만든 듯한 느낌을 받습니다. 체중에 맞게 눈금을 나타내면 되는데 이렇게 복잡하게 만든 이유를 체중저울의 작동 원리를 이용하여 적어보세요.

골드버그 장치

손에 잡히는 STEAM

체중저울의 작동 원리 이해하기

▼

체중저울이 작동하는 원리를 구분하여 나열해 봅니다.

▼

체중저울이 좁은 공간에 복잡하게 만든 이유는 무엇일까요?

논술형

3 오른쪽 그림의 대저울은 과거 물건의 질량을 측정하는데 사용하였습니다. 만약 물체의 질량과 무게를 정밀하게 재는 저울이 없었다면 우리 생활에 어떤 변화가 생길지 예상하여 적어보세요.

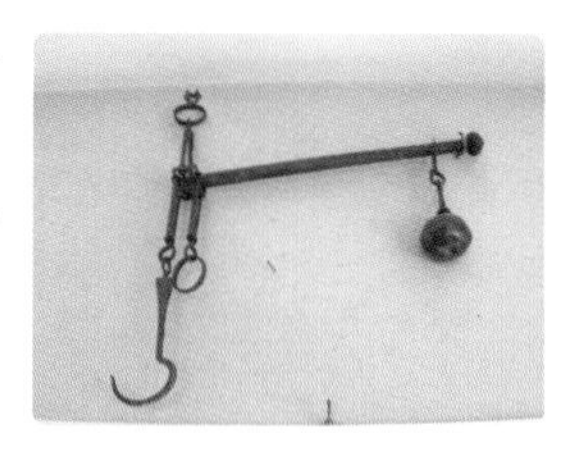

손에 잡히는 STEAM

저울이 이용되는 곳 생각해 보기

▼

저울 없이 물건을 거래할 때 불편한 점은 무엇일까요?

▼

저울 없이 물건을 거래할 때 좋은 점은 무엇일까요?

탐구력 키우기

고무줄 저울

번지점프는 몸이나 발목에 줄을 묶고 높은 곳에서 떨어지는 스포츠의 한 종류이다. 번지점프대에서 뛰어내리면 자유낙하를 하다가 어느 순간 멈추고 다시 용수철처럼 튀어 올라간다. 이는 번지점프에 사용되는 줄의 탄성 때문이다. 고무줄의 탄성을 이용하여 무게를 측정할 수 있는 저울을 만들어 보자.

준비물

노란색 고무줄, 검정색 고무줄, 흰색 고무줄, 자, 집게 2개, 두꺼운 도화지, 싸인펜, 100원 동전 20개, 종이컵, 실, 가위

탐구 과정

① 집게로 노란색 고무줄과 두꺼운 도화지를 같이 집는다.
② 종이컵과 실을 이용해 종이컵 접시를 만든다.
③ 노란색 고무줄이 10 cm가 되도록 반대편에 집게로 집고, 집게 아래에 종이컵 접시를 매단다.
④ 싸인펜으로 도화지 위에 고무줄 끝을 표시하고 0 눈금을 만든다.
⑤ 종이컵 접시에 100원 동전 4개를 넣고 도화지 위에 늘어난 고무줄의 길이를 표시한다.
⑥ 동전을 8개, 12개, 16개를 넣고 도화지 위에 늘어난 고무줄의 길이를 표시한다.
⑦ 검정색 고무줄과 흰색 고무줄도 같은 방법으로 실험한다.

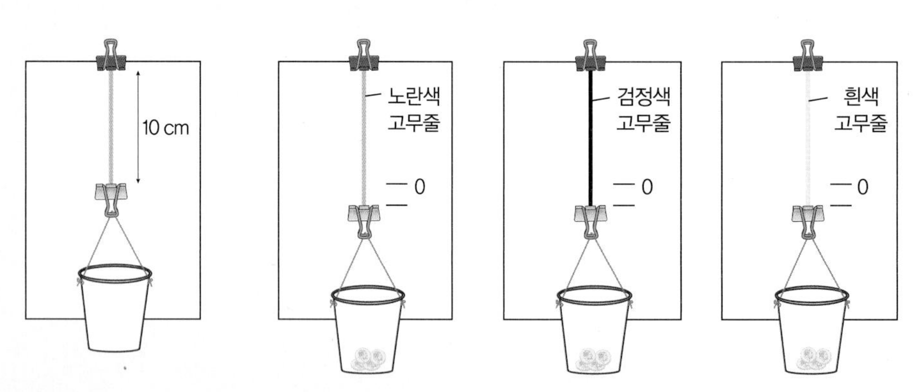

주의사항

· 100원 동전 4개를 한 묶음으로 하여 기준 물체로 사용한다.
· 100원 동전 1개의 무게는 약 5.5 g이고, 4개의 평균 무게는 22 g이다.
· 동전 이외에 무게를 알고 있는 물체를 기준 물체로 사용해도 된다.

정답 및 해설
15쪽

1 종이컵 접시에 100원 동전 4개, 8개, 12개, 16개를 넣었을 때 고무줄의 늘어난 길이를 측정한 후, 동전의 개수(무게)와 고무줄의 늘어난 길이의 관계를 꺾은선 그래프로 그려보세요.

100원 동전의 개수(개)	늘어난 고무줄의 길이 (cm)		
	노란색 고무줄	검정색 고무줄	흰색 고무줄
0			
4			
8			
12			
16			

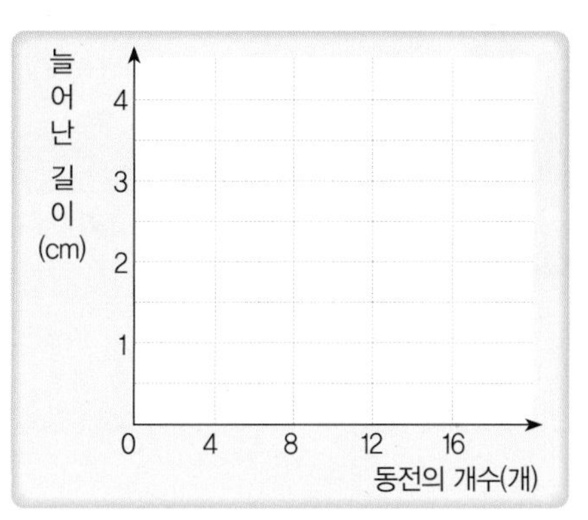

2 가벼운 물체를 측정하는 저울을 만들기에 가장 적합한 고무줄을 고르고, 고무줄로 저울을 만들 수 있는 이유를 적어보세요.

3 동전 20개를 넣었을 때, 노란색 고무줄과 검은색 고무줄의 늘어난 길이를 추리하여 적어보세요.

STEAM

4 고무줄의 탄성 한계를 넘는 무기운 물체의 무게를 고무줄을 이용하여 측정하려고 합니다. 무거운 물체의 무게를 측정할 수 있는 고무줄 저울을 설계해 보세요. (단, 고무줄을 여러 개 사용해도 됩니다.)

Ⅳ 혼합물의 분리

07 생활 속의 혼합물
08 혼합물을 분리하는 여러 가지 방법

이 단원의 주요 내용

일상생활에서 볼 수 있는 혼합물을
구성하고 있는 물질들의 성질을 이용하여
분리하는 방법을 배운다.

★ 2015 개정 교육과정 교과서

초등 3~4학년 군 :
4학년 1학기 4단원 혼합물의 분리

★ 다른 학년과의 연계

초등 3~4학년 군 : 물질의 성질, 자석의 이용
초등 5~6학년 군 : 용해와 용액
중학교 1~3학년 군 : 물질의 특성

07 두 가지 이상의 물질이 섞인 생활 속의 혼합물

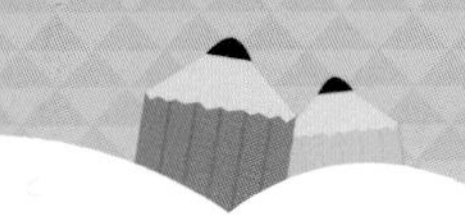

1 혼합물

1. 혼합물

① ⓐ______ : 두 가지 이상의 물질이 서로 섞여 있는 것

② 우리 주변의 혼합물 : 김밥, 미숫가루, 꿀물, 오곡밥, 나박김치, 재활용품이 섞여 있는 쓰레기, 바닷물 등

혼합물
구성 물질
▲ 김밥
▲ 단무지
▲ 달걀
▲ 쇠고기
▲ 밥
▲ 오곡밥
▲ 콩
▲ 팥
▲ 찹쌀
▲ 수수
▲ 나박김치
▲ 배추
▲ 무
▲ 물
▲ 파
▲ 소금물
▲ 꿀물
▲ 물
▲ 소금
▲ 물
▲ 꿀
▲ 재활용품이 섞여 있는 쓰레기
▲ 페트병
▲ 종이
▲ 유리병
▲ 금속 캔

③ 혼합물에 들어 있는 물질의 성질 변화 : 여러 가지 재료는 서로 섞여도 재료의 모양과 색깔, 맛은 변하지 ⓑ______다.

개념 더하기

● 혼합물인 혈액

혈액은 우리 몸의 구석구석을 돌며 산소와 영양분을 공급해준다. 혈액은 고체인 혈구와 액체인 혈장으로 이루어져 있다. 혈액에서 고체인 혈구를 분리해 내면 혈장만 남아 노란색 액체로 보인다.

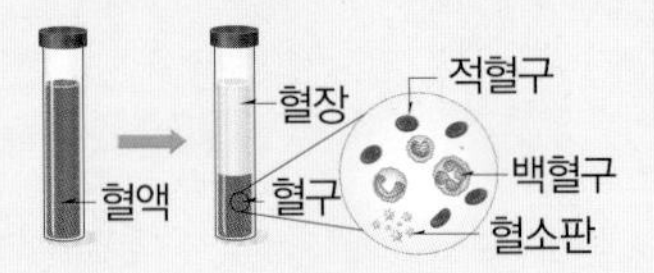

용어 풀이

- 혼합물(섞을 混, 합할 合, 물건 物)
  여러 가지의 것이 섞여서 하나가 된 것
- 성질(성품 性, 바탕 質)
  사물이나 현상을 가지고 있는 다른 것과 구별되는 특징

정답

ⓐ 혼합물 ⓑ 않는

★탐구 여러 가지 재료로 간식 만들기

탐구 과정

① 호두, 땅콩, 건포도, 잣, 초콜릿의 모양과 색깔을 관찰하고 맛을 본다.
② 다섯 가지 재료 중에서 세 가지 재료를 선택하여 검은색 비닐봉지에 담아 간식을 만든다.
③ 안대를 하고 다른 모둠이 만든 간식을 한 숟가락씩 먹어 본 뒤, 간식의 재료를 알아맞혀 본다.

탐구 결과 및 결론

① 간식에 들어간 재료의 특징

재료 이름	모양	색깔	맛
호두	반달 모양이고 주름이 많다.	황갈색	고소하다.
땅콩	길쭉하고 둥근 모양이다.	황갈색	고소하다.
건포도	둥글고 주름이 많다.	검은색, 진한 보라색	단맛이 난다.
잣	둥글고 납작하다.	연한 살구색	고소하다.
초콜릿	둥글다.	빨간색, 파란색, 노란색 등 다양하다.	단맛이 난다.

② 안대를 하고 다른 모둠의 간식을 먹어도 간식 안에 들어 있는 재료를 알아맞힐 수 있다.
③ 여러 가지 재료를 섞어서 간식을 만들어도 각 재료의 맛은 변하지 않는다.
④ 여러 가지 물질을 섞어 혼합물을 만들어도 각 물질의 ⓐ＿＿＿은 변하지 않는다.

개념 더하기

● **혼합물을 구성하는 물질의 성질**
아이스티 가루를 물에 녹여 아이스티를 만들면, 아이스티 맛은 아이스티 가루의 맛과 같다.

▲ 아이스티 가루

▲ 아이스티

용어 풀이

안대(눈 眼, 띠 帶)
눈을 가리는 물건

정답

ⓐ 성질

07 생활 속의 혼합물

2 혼합물을 분리하는 까닭

1. 혼합물을 분리하면 좋은 점

① 에어컨 안의 공기 여과기

- 공기보다 크기가 ⓐ____ 먼지는 공기 여과기를 통과할 수 없으므로, 먼지를 분리할 수 있다.
- 먼지를 분리하여 깨끗한 공기를 마실 수 있다.

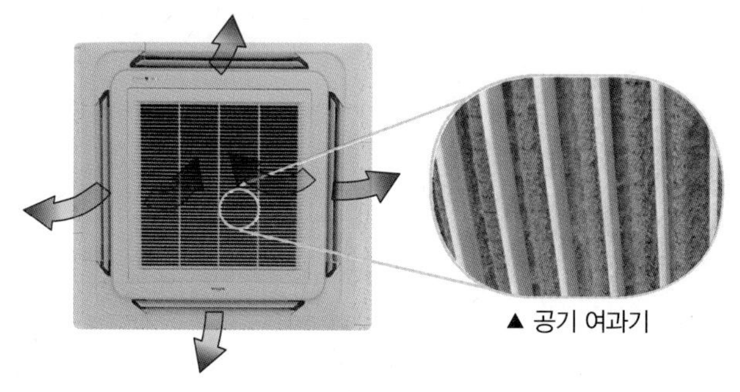

▲ 공기 여과기

② 쓰레기 분리 배출

- 분리 배출한 물품을 재활용할 수 있어 자원을 ⓑ______할 수 있다.
- 플라스틱처럼 잘 썩지 않는 쓰레기를 분리하여 환경 오염을 줄일 수 있다.

종이류	유리류	캔류	플라스틱류
상자, 우유팩, 종이, 신문지 등	유리병, 주스병, 유리 그릇 등	음료수 캔, 통조림 캔, 가스통 등	페트병, 세제 용기, 플라스틱 바구니 등

2. 자연에서 분리한 구리의 이용

① **구리 광석** : 자연에서 얻은 구리 광석은 다른 암석과 섞여 있으므로, 분리하여 순수한 구리를 얻는다.

② **순수한 구리의 이용** : 구리 광석에서 분리한 순수한 구리로 전선, 송수관 등을 만든다.

▲ 구리 광석 ▲ 전선 ▲ 송수관

개념 더하기

● 쓰레기 분리 배출과 재활용

우리나라 국민 한 사람이 70평생을 살면서 배출하는 생활쓰레기는 무려 55톤에 이른다. 쓰레기는 대부분 매립하거나 소각하여 처리되며, 극히 일부분만 재활용되고 있다. 쓰레기 처리에 비용이 많이 들고, 처리 과정에서 환경을 오염시키는 물질이 발생하기도 한다. 쓰레기를 줄이는 첫번째 방법은 재활용이다. 재활용을 위해서는 먼저 분리 배출이 잘 되어야 한다.

용어 풀이

- **분리(나눌 分, 떠날 離)** 서로 나누어 떨어지게 하는 것
- **여과(거를 濾, 지날 過)** 거름종이 등을 이용해 액체 또는 기체 속에 들어 있는 입자를 걸러 내는 것
- **광석(쇳돌 鑛, 돌 石)** 땅속에서 캐낸 암석 또는 광물
- **송수관(보낼 送, 물 水, 대롱 管)** 수돗물 등을 보내는 관

정답

ⓐ 큰 ⓑ 절약

③ 자연에서 구리를 분리하면 좋은 점 : 구리의 장점을 살린 물건을 만들 수 있다.

④ 구리의 장점

- ⓐ______와 열을 매우 잘 흐르게 한다.
- 금속 중에서 무른 편이다.
- 가는 선으로 늘릴 수 있고, 두드려서 얇은 판으로 만들 수 있다.

3. 순수한 구리와 다른 금속을 혼합하여 만든 새로운 물질

① 유기그릇 : 구리에 주석을 섞어 만든 그릇으로, 그릇의 모양이나 색깔이 쉽게 변하지 않고 윤기가 난다.

② 구리 합금

- 청동 : 구리에 주석을 섞은 합금으로, 화살촉, 칼, 조각품 등으로 사용한다.
- 황동 : 구리에 아연을 섞은 합금으로, 장신구나 금관 악기로 많이 사용한다.
- 백동 : 구리에 니켈을 섞은 합금으로, 동전을 만들 때 사용한다.

▲ 유기그릇

▲ 청동 – 조각품

▲ 황동 – 호른

▲ 백동 – 동전

③ 자연에서 필요한 물질을 분리하면 좋은 점 : 다른 물질과 섞어 새로운 물질을 만드는 데 사용할 수 있다.

4. 생활 속에서 혼합물을 분리하는 예

① 금 : 광산에서 분리한 금으로 반지나 목걸이 등을 만들 수 있다.

② 소금 : 바닷물에서 소금을 분리하여 음식의 재료로 사용할 수 있다.

▲ 금광석

▲ 금 장신구

▲ 염전 – 바닷물

▲ 소금

★생활 속 과학 10원 보다 비싼 10원 동전

우리나라의 10원 동전은 구리와 아연 가격이 급상승함에 따라 가치가 32.7원으로 높아졌다. 한국은행은 2006년 12월 18일부터 10원 동전의 재질을 황동에서 구리씌움 알루미늄으로 변경하여 가치를 8.2원으로 낮추었다. 구리씌움 알루미늄은 세제에 담그거나 오랫동안 물에 접촉하면 부식되므로 주의해야 한다.

▲ 옛날 동전

▲ 새로운 동전

개념 더하기

● 청동의 이용

인류는 구리와 주석의 합금인 청동을 사용함으로써 청동기 시대라는 새로운 문명 시대를 개척했다.

용어 풀이

합금(합할 合, 쇠 金)

하나의 금속에 성질이 다른 물질을 섞어서 만든 새로운 성질의 금속

정답

ⓐ 전기

개념기르기

01 다음 〈보기〉 중 혼합물에 대한 설명으로 옳은 것을 모두 고른 것은 어느 것입니까? (　　)

보기
㉠ 한 가지 물질로만 이루어져 있어도 혼합물이다.
㉡ 미숫가루와 바닷물은 혼합물이다.
㉢ 여러 가지 재료가 섞여도 재료의 모양은 변하지 않는다.

① ㉠　② ㉠, ㉡
③ ㉠, ㉢　④ ㉡, ㉢
⑤ ㉠, ㉡, ㉢

02 다음 중 두 가지 이상의 물질이 섞여 있는 혼합물이 아닌 것은 어느 것입니까? (　　)

① 
김밥

② 
오곡밥

③ 
소금

④ 
나박김치

⑤ 
꿀물

[03~04] 다음 표의 재료를 섞어 간식을 만들었습니다. 물음에 답하시오.

재료	모양	색깔	맛
호두	주름이 많음	황갈색	고소함
땅콩	길쭉하고 둥글다.	황갈색	고소함
건포도	둥글고 주름짐	검은색 또는 진한 보라색	단맛이 남
잣	둥글고 납작함	연한 살구색	고소함
초콜릿	둥글다.	다양한 색	단맛이 남

03 위 재료를 섞어 간식을 만들었을 때 각 재료의 변화에 대한 설명으로 옳은 것은 어느 것입니까? (　　)

① 호두의 주름이 없어진다.
② 건포도는 황갈색으로 변한다.
③ 땅콩의 맛이 단맛으로 변한다.
④ 초콜릿의 단맛은 변하지 않는다.
⑤ 잣은 모양이 길쭉하고 주름이 많아진다.

04 위 재료를 섞어 만든 간식에 대한 설명으로 옳은 것은 어느 것입니까? (　　)

① 재료의 색깔이 모두 변한다.
② 간식을 만들어도 재료의 맛은 섞기 전과 같다.
③ 각 재료의 모양이 변하기 때문에 재료를 알아맞힐 수 없다.
④ 각 재료의 맛은 변하지만, 모양이 변하지 않기 때문에 재료를 알아맞힐 수 있다.
⑤ 각 재료가 모두 섞여 있기 때문에 섞기 전의 재료가 무엇인지 알아맞힐 수 없다.

05 다음 그림의 에어컨에 대한 설명으로 옳은 것을 〈보기〉에서 모두 고른 것은 어느 것입니까? ( )

보기
㉠ 여과기는 공기 속의 먼지를 분리한다.
㉡ 여과기는 깨끗한 공기를 마실 수 있게 해준다.
㉢ 공기보다 크기가 작은 먼지를 공기 여과기로 분리할 수 있다.

① ㉠
② ㉠, ㉡
③ ㉠, ㉢
④ ㉡, ㉢
⑤ ㉠, ㉡, ㉢

중요

06 다음과 같이 쓰레기를 분리 배출할 때 좋은 점으로 옳지 않은 것은 어느 것입니까? ( )

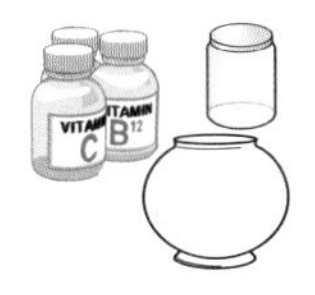

① 자원을 절약할 수 있다.
② 환경 오염을 줄일 수 있다.
③ 쓰레기를 재활용할 수 있다.
④ 쓰레기의 양을 늘릴 수 있다.
⑤ 쓰레기 분리 작업을 따로 하지 않아도 된다.

07 다음 중 구리에 대한 설명으로 옳지 않은 것은 것은 어느 것입니까? ( )

① 금속 중에서 가장 단단하다.
② 전기와 열을 매우 잘 흐르게 한다.
③ 순수한 구리는 구리 광석에서 분리한다.
④ 구리는 전선이나 송수관 등을 만드는 데 사용된다.
⑤ 가는 선으로 늘릴 수 있고, 두드려서 얇은 판으로 만들 수 있다.

08 다음 중 유기그릇에 대한 설명으로 옳은 것은 어느 것입니까? ( )

① 윤기가 난다.
② 색깔이 쉽게 변한다.
③ 그릇의 모양이 쉽게 변한다.
④ 구리와 아연을 섞어 만든 그릇이다.
⑤ 유기그릇은 구리의 성질이 그대로 남아 있다.

09 다음 중 구리에 아연을 섞은 것으로 장신구나 금관 악기로 많이 사용되는 합금은 어느 것입니까? ( )

① 청동
② 적동
③ 황동
④ 백동
⑤ 흑동

서술형으로 다지기

혼합물의 특징을 생각해 봅니다.

혼합물의 정의는 무엇인가요?

떡볶이가 무엇으로 이루어져 있는지 살펴 봅니다.

01 다음은 간식으로 먹는 떡볶이의 모습을 나타낸 것입니다. 떡볶이가 혼합물인지 아닌지 이유와 함께 적고, 떡볶이를 이루고 있는 물질을 모두 적어보세요.

손에 잡히는 문제 해결

나박 김치에 들어가는 재료는 무엇인가요?

나박 김치를 만들기 전, 재료의 특징은 무엇인가요?

나박 김치를 만들고 난 후, 재료는 어떻게 변했나요?

02 다음은 나박 김치의 모습입니다. 나박 김치에서 볼 수 있는 재료를 모두 적어보고 나박 김치를 만들기 전과 후의 재료의 성질 변화를 적어보세요.

03 매장량이 풍부한 철은 기원 전 4,000년 경부터 사용되었지만, 구리는 기원 전 5,000년 경 이미 사용되었습니다. 철이 구리보다 단단하고 매장량이 풍부했음에도 철기 시대보다 청동기 시대가 더 먼저 시작된 이유를 적어보세요.

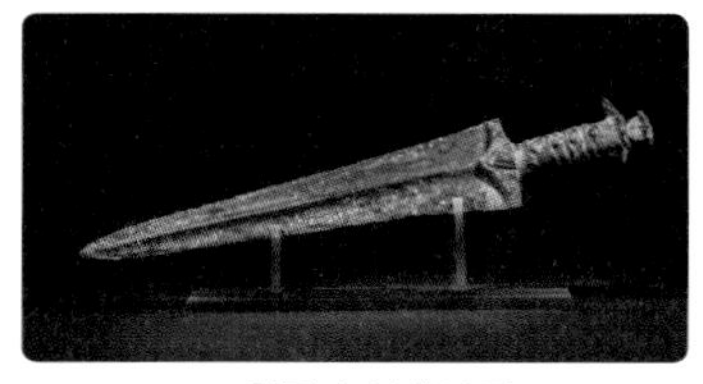

▲ 청동기 시대의 칼

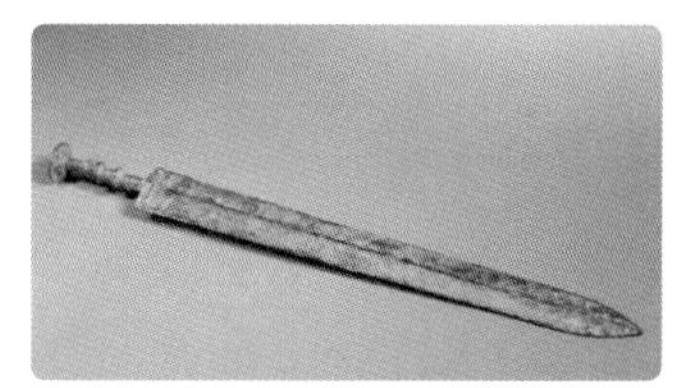
▲ 철기 시대의 칼

손에 잡히는 문제 해결

구리와 철의 특징을 생각해 봅니다.

▼

자연 상태에서 더 순수하게 남아 있는 것은 어떤 금속인가요?

▼

녹는점이 더 높은 금속은 무엇인가요?

04 서해안으로 피서를 간 동현이는 염전에서 바닷물이 다 마르지 않았는데도 소금을 거둬들이는 모습을 보았습니다. 염전의 물이 다 마르지 않은 상태에서 소금을 거둬들이는 것이 좋은 이유를 2가지 적어보세요.

손에 잡히는 문제 해결

염전의 모습을 생각해 봅니다.

▼

물에 젖은 소금의 물이 더 빨리 증발되게 하려면 어떻게 해야 할까요?

▼

바닷물이 없고 염전이 완전히 마른 후, 소금을 거두면 무엇이 어려울까요?

융합사고력 키우기

- [v] Science
  - ▶ 미세먼지
- [v] Technology
  - ▶ 미세먼지 제거
- [v] Engineering
  - ▶ 마스크
- [ ] Art
- [ ] Mathmatics

반가운 봄소식과 함께 찾아온 불청객

반가운 봄소식에는 불청객인 '황사'도 찾아온다.
중국 북부의 사막지대에서 시작되는 황사는 봄철 저기압으로 생기는 강한 바람이 작은 알갱이의 모래를 날려 올리는 현상이다. 황사는 중국에서 우리나라 쪽으로 사시사철 불어오는 편서풍을 타고 한반도로 유입된다.
황사보다 더 일찍 찾아와 더 오랫동안 머물며 폐를 끼치는 손님은 '미세먼지'다. 황사 안에는 지름이 1 mm의 100분의 1밖에 안 되는 10 μm(마이크로미터) 크기의 미세먼지(Particulate Matter)가 들어 있다. 과학 용어로는 'PM 10'이라 한다.
최근에는 '초미세먼지'까지 등장했다. 지름이 2.5 μm에 불과해 'PM 2.5'라 불린다. 오염원에서 직접 배출된 1차 먼지가 산소, 오존, 수증기 등과 화학반응을 일으키면 2차 먼지로 발전해 초미세먼지 발생의 원인이 된다.
지름 10 μm이하의 미세먼지와 초미세먼지는 코나 기관지에서 걸러지지 않으므로 폐로 직접 침투한다. 미세먼지와 초미세먼지는 인체 곳곳에서 각종 염증을 일으키는 등 건강에 악영향을 준다.
우리나라 자체만의 노력으로는 미세먼지와 초미세먼지의 양을 줄이기 힘들다. 막대한 양의 오염물질이 중국으로부터 날아오기 때문이다.
황사는 알루미늄, 마그네슘, 철, 칼슘 등 토양 성분이 주를 이루지만 초미세먼지는 납, 비소, 니켈, 크롬 등 독성물질과 중금속이 포함되어 있어, 단순 호흡기 질환뿐만 아니라 혈관 질환까지 유발한다.

용어 풀이

- **편서풍**
  위도 30~65° 사이의 중위도 지방에서 일 년 내내 서쪽으로 치우쳐 부는 바람
- **환경오염원**
  환경 오염의 근원이 되는 것
- **휘발성유기화합물**
  신축 건물의 건축 자재나 페인트 등에서 나오는 휘발성 화학 물질

1 봄에 찾아오는 황사보다 더 일찍 찾아와 더 오랫동안 머물며 폐를 끼치는 손님은 미세먼지입니다. 이 미세먼지보다 크기가 더 작은 미세먼지는 무엇인가요?

정답 및 해설 17쪽

2 미세먼지와 초미세먼지는 황사보다 인체 건강에 더 큰 악영향을 준다고 합니다. 그 이유를 위 글에서 찾아 논리적으로 적어보세요.

황사와 미세먼지의 차이점은 무엇일까요?

▼

황사와 미세먼지가 인체 건강에 영향을 주는 이유는 무엇일까요?

▼

왜 사람은 미세먼지와 초미세먼지를 막지 못할까요?

논술형

3 미세먼지 예보에 따라 실외활동을 자제하고 특수마스크를 착용하는 개인의 대처 이외에 오염원 제거를 위한 정부의 적극적인 노력이 필요한 시점입니다. 초미세먼지까지 걸러낼 수 있는 특수마스크는 일반마스크에 비해 어떤 기능을 더 추가해야 하는지 2가지 적어보세요.

손에 잡히는 STEAM

일반마스크는 어느 정도의 기능이 있을까요?

▼

초미세먼지를 걸러내려면 어떤 기능이 필요할까요?

▼

걸러내는 기능 외에 추가로 필요한 기능은 무엇일까요?

황사 마스크

물질의 성질을 이용한

08 혼합물을 분리하는 여러 가지 방법

개념 더하기

● 콩, 팥, 좁쌀

▲ 콩 ▲ 팥 ▲ 좁쌀

● 콩, 팥, 좁쌀 혼합물 분리하기

- 눈의 크기가 큰 체를 먼저 사용한 경우 : 알갱이의 크기가 큰 콩이 가장 먼저 분리되고, 팥, 좁쌀의 순서로 분리된다.
- 눈의 크기가 작은 체를 먼저 사용한 경우 : 알갱이의 크기가 작은 좁쌀이 가장 먼저 분리되고, 팥, 콩의 순서로 분리된다.

● 고체 혼합물 분리하는 모습

▲ 쓰레기 수거 장비 ▲ 과일 선별기

▲ 공사장 체

용어 풀이

체
곡식 등과 같은 알갱이를 크기가 큰 것과 작은 것으로 분리할 때 사용하는 도구

눈
체의 구멍

정답

큐 ⓐ 윤 ⓑ

1 크기가 다른 고체 혼합물 분리

1. 콩, 팥, 좁쌀의 혼합물 분리하기

① 콩, 팥, 좁쌀의 특징

구분	콩	팥	좁쌀
모양	둥글다.	둥글다.	둥글다.
크기	가장 크다.	중간 크기이다.	가장 작다.
색깔	노란색	붉은색	노란색

② 콩, 팥, 좁쌀의 혼합물을 손으로 분리하기

알갱이 한 개를 골라 잡기 어렵고, 다른 종류의 알갱이가 함께 잡히고 시간이 오래 걸린다.

③ 콩, 팥, 좁쌀의 혼합물을 체로 분리하기

- 필요한 체의 조건 : 눈의 크기가 콩보다 작고 팥보다 큰 체, 눈의 크기가 팥보다 작고 좁쌀보다 큰 체

탐구 콩, 팥, 좁쌀의 혼합물 분리하기

탐구 과정

① 눈의 크기가 콩보다 작고 팥보다 큰 체를 이용하여 혼합물을 분리한다.
② 눈의 크기가 팥보다 작고 좁쌀보다 큰 체를 이용하여 혼합물을 분리한다.

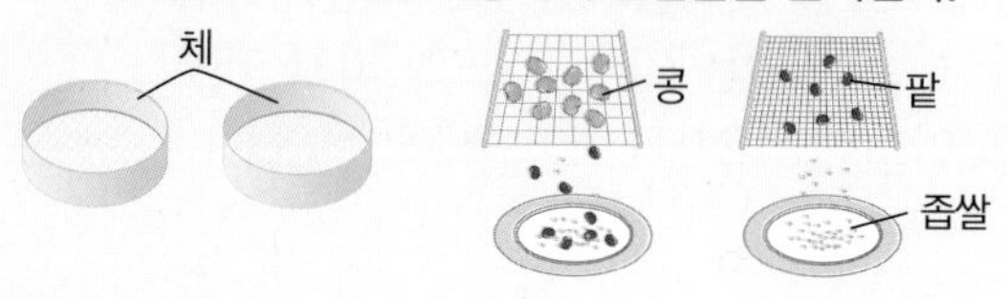

탐구 결과 및 결론

① 눈의 크기가 콩보다 작고 팥보다 큰 체를 이용하면 체 위에 ⓐ____이 분리된다.
② 눈의 크기가 팥보다 작고 좁쌀보다 큰 체를 이용하면 체 위에 ⓑ____이 분리된다.
③ 손으로 분리하는 것보다 체와 같은 도구를 사용하면 훨씬 빠르고 쉽게 분리할 수 있다.

2. 생활 속에서 고체 혼합물을 분리하는 예

① 해변 쓰레기 수거 장비 : 쓰레기와 모래를 한꺼번에 들어 올리면, 크기가 작은 모래는 체 아래로 빠져나가고 크기가 큰 쓰레기만 체에 남는다.

② 방울토마토를 크기별로 분리하는 기계 : 구멍이 작은 체부터 시작하여 점차 구멍이 큰 체에 통과시키면 작은 방울토마토부터 먼저 빠져나와 분리된다.

③ 공사장에서 모래와 자갈을 분리하는 체 : 체를 사용하여 모래와 자갈을 분리한다.

2 자석을 이용한 혼합물 분리

1. 쌀, 쇠 구슬, 플라스틱 구슬 분리하기

① 쌀, 쇠 구슬, 플라스틱 구슬의 특징

구분	쌀	쇠 구슬	플라스틱 구슬
모양	약간 길쭉하다.	둥글다.	둥글다.
크기	가장 작다.	쌀보다 크고 플라스틱 구슬과 같다.	쌀보다 크고 쇠 구슬과 같다.
자석에 붙는성질	붙지 않는다.	붙는다.	붙지 않는다.

② 쌀, 쇠 구슬, 플라스틱 구슬의 혼합물을 분리할 수 있는 방법

- 철이 자석에 붙는 성질을 이용하여 쇠 구슬을 분리한다.
- 알갱이의 크기가 다른 점을 이용하여 체로 쌀과 플라스틱 구슬을 분리한다.

③ 쌀, 쇠 구슬, 플라스틱 구슬의 혼합물 분리하기

탐구 쌀, 쇠 구슬, 플라스틱 구슬의 혼합물 분리하기

탐구 과정

① 자석을 이용하여 혼합물을 분리한다.
② 눈의 크기가 플라스틱 구슬보다 작고 쌀보다 큰 체를 이용하여 혼합물을 분리한다.

탐구 결과 및 결론

① 자석을 이용하면 ⓐ______ 구슬이 분리된다.
② 눈의 크기가 플라스틱 구슬보다 작고 쌀보다 큰 체를 이용하면 체 위에 ⓑ______________ 구슬이 분리된다.

2. 생활 속에서 자석을 이용하여 분리하는 예

① **철 캔과 알루미늄 캔의 분리 :** 철 캔과 알루미늄 캔이 섞인 재활용품 속에서 자석에 달라붙는 철 캔만 분리한다.

② **폐건전지 속의 원료에서 철의 분리 :** 폐건전지를 잘게 부순 후 철 조각을 분리하여 재활용한다.

③ **흙과 식품 속의 철의 분리 :** 흙 속에 있는 철가루를 분리하거나, 고춧가루에서 철 가루를 분리한다.

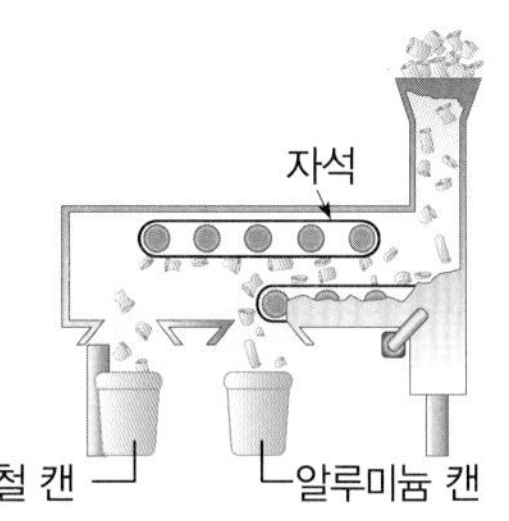

개념 더하기

● 쌀, 쇠 구슬, 플라스틱 구슬

▲ 쌀 ▲ 쇠 구슬 ▲ 플라스틱 구슬

● 자석을 이용한 혼합물 분리

▲ 고춧가루에서 철가루 분리

정답

ⓐ 쇠 ⓑ 플라스틱

08 혼합물을 분리하는 여러 가지 방법

3 물에 녹는 성질을 이용한 혼합물 분리

1. 소금과 후추의 혼합물 분리하기

탐구 소금과 후추의 혼합물 분리하기

탐구 과정

① 소금과 후추의 혼합물을 물에 녹인 후, 거름 장치를 이용해 거른다.

② 거름 장치에서 걸러진 물질을 증발 접시에 붓고 알코올램프로 가열한다.

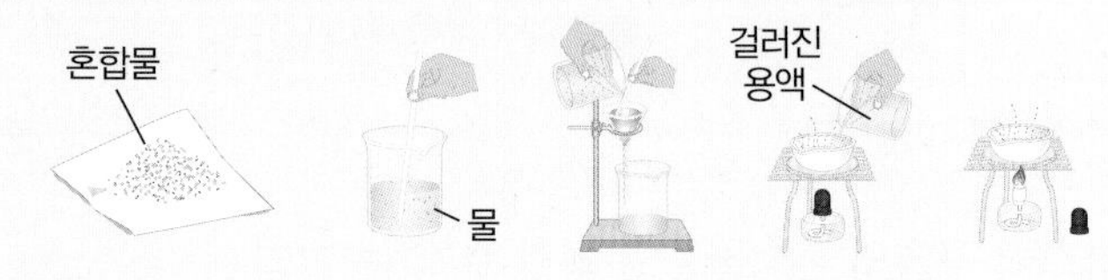

탐구 결과 및 결론

① 소금과 후추를 물에 녹인 혼합물을 거름 장치로 거르면, 물에 녹는 ⓐ＿＿＿은 거름종이를 통과하고, 물에 녹지 않는 ⓑ＿＿＿가 거름종이에 남는다.

② 거름 장치에서 걸러진 물질을 가열하면, 물이 줄어들고 하얀색 ⓒ＿＿＿이 생겨 사방으로 튄다.

2. 소금과 후추의 혼합물을 분리하는 데 이용된 방법

① ⓓ＿＿＿ : 물에 녹는 소금과 물에 녹지 않는 후추를 거름종이로 분리하는 방법

② ⓔ＿＿＿ : 소금물을 가열할 때 물이 수증기로 변하는 현상

3. 생활 속에서 거름과 증발을 이용하는 예

① 거름

- 녹차 여과기의 거름망 : 찻잎에서 물에 녹는 성분만 우려내고, 찻잎을 걸러낸다.
- 녹즙기 거름망 : 찌꺼기와 녹즙을 분리한다.
- 된장과 간장 만들 때 사용하는 체 : 메주를 소금물에 넣어 둔 후 체에 거르면, 통과한 물질은 간장이고 체 위에 걸러진 물질은 된장이다.

② 증발

- 천일염 : 염전에 바닷물을 모아 두고 햇빛과 바람으로 물을 증발시켜 소금을 얻는다.
- 소금물로 그림 그리기 : 검은 종이에 소금물로 그림을 그리고 헤어드라이어로 말리면 검은색 종이 위에 소금이 남는다.

▲ 녹차 여과기 거름망

▲ 녹즙기 거름망

▲ 된장과 간장 거르는 체

▲ 천일염

▲ 소금물로 그린 그림

개념 더하기

● 거름종이 접는 방법

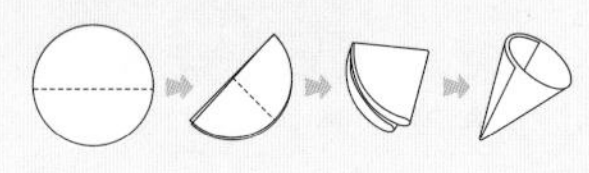

● 거름 장치 꾸미기

① 꼬깔 모양으로 접은 거름종이에 물을 묻혀 깔때기에 붙인다.

② 깔때기 끝의 긴 부분을 비커의 옆면에 붙여, 용액이 비커의 벽을 타고 흐르도록 한다.

③ 거르고자 하는 액체 혼합물이 유리 막대를 타고 천천히 흐르도록 하면서 깔때기에 용액이 넘치지 않도록 붓는다.

용어 풀이

증발(찔 蒸, 떠날 發)
액체의 표면에서 액체가 기체로 변하여 공기 중으로 날아가는 현상

염전(소금 鹽, 밭 田)
소금을 만들기 위해 바닷물을 끌어들여 논처럼 만든 곳

정답

ⓐ 소금 ⓑ 후추 ⓒ 소금
ⓓ 거름 ⓔ 증발

4 물과 기름 분리하기 심화

1. 물과 기름의 성질

① 물과 기름은 서로 섞이지 않고 두 층으로 나뉘어진다.

② 기름은 물보다 가벼워서 물 위에 ⓐ____다.

2. 물과 기름 분리하기

분리 방법	그림	특징
ⓑ________로 분리하기		• 분리한 식용유를 재사용할 수 있다. • 식용유가 물 위에 얇게 퍼져 있어 분리하기 어렵다.
ⓒ________로 분리하기		• 식용유가 물 위에 얇게 퍼져 있어 스포이트로 분리할 때보다 편하다. • 분리한 식용유를 재사용하기 어렵다.

3. 생활 속에서 흡착포를 이용하는 예

① 국이나 찌개에 떠 있는 기름을 흡착포나 한지를 사용하여 제거한다.

② 바다에서 유조선의 기름이 새면 흡착포를 사용하여 바닷물 위에 뜬 기름을 제거한다.

5 두부 만들기

1. 두부 만들기

① 냄비에 갈아 놓은 콩물을 붓고 끓이다가 끓기 시작하면 물을 조금 붓고 약한 불에 한 번 더 끓인 후, 체와 헝겊을 사용하여 끓인 콩물을 거른다.

② 걸러낸 콩물을 약한 불로 가열한 후, 간수를 넣고 천천히 젓는다. ➡ 하얀색 덩어리가 생긴다.

③ 두부 틀에 헝겊을 깔고 그 위에 덩어리가 생긴 콩물을 붓는다.

④ 두부 틀에 헝겊을 덮고 무거운 물체를 올려 놓고, 물이 빠지면 두부를 꺼낸다.

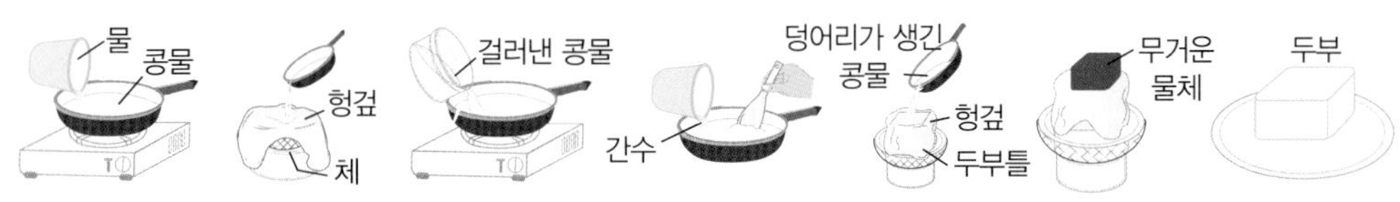

2. 두부 만들기에 활용된 혼합물 분리 방법

① 끓인 콩물 거르기 ➡ ⓓ____ : 알갱이의 크기 차이를 이용하여 콩물을 분리한다.

② 간수 넣기 : 콩물에서 우러난 단백질을 뭉치게 한다.

③ 두부 틀에 콩물 붓기 ➡ ⓔ____ : 알갱이의 크기 차이를 이용하여 두부를 분리한다.

개념 더하기

● **스포이트 사용법**

스포이트를 잡을 때에는 엄지 손가락과 집게손가락으로 고무를 가볍게 쥐고, 나머지 세 손가락으로 유리 부분을 편하게 잡는다.

● **생활 속에서 두부 만드는 과정에 적용된 혼합물 분리의 예**

• 티백을 물에 넣으면 찻잎을 싸고 있는 종이 주머니에 의해서 찻잎이 걸러진다.

• 티백의 종이 주머니는 콩물을 거르는 헝겊과 같이 물질을 걸러 내는 역할을 한다.

용어 풀이

흡착포(들이쉴 吸, 붙을 着, 베 보자기 布)
물은 흡수하지 않고 기름만 흡수하는 성질이 있어 물 위에 뜬 기름을 제거할 때 사용하는 천

스포이트
고무로 된 꼭지가 있어 액체를 조금씩 옮겨 담을 때 편리하게 사용하는 실험 도구

간수
바닷물에서 소금을 얻을 때 나오는 쓴맛이 나는 액체

정답
ⓐ 뜬 ⓑ 스포이트 ⓒ 흡착포 ⓓ 거름 ⓔ 거름

개념기르기

01 콩, 팥, 좁쌀 혼합물을 체를 사용하여 분리할 때 이용되는 성질은 어느 것입니까? (　　)

▲ 콩

▲ 팥

▲ 좁쌀

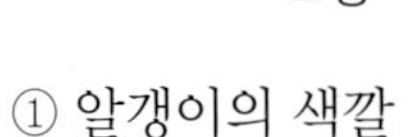

① 알갱이의 색깔　② 알갱이의 무게
③ 알갱이의 크기　④ 알갱이의 모양
⑤ 알갱이의 거칠기

02 다음 중 콩, 팥, 좁쌀의 혼합물을 분리하는 데 필요한 체로 옳은 것을 모두 고르시오. (　　,　　)

① 눈의 크기가 콩보다 큰 체
② 눈의 크기가 좁쌀보다 작은 체
③ 눈의 크기가 콩보다 작고 팥보다 큰 체
④ 눈의 크기가 팥보다 작고 좁쌀보다 큰 체
⑤ 곡물이 세 종류이므로 세 개의 체가 필요하다.

03 다음 중 해변 쓰레기 수거 장비로 쓰레기와 모래의 혼합물을 분리하는 방법에 대한 설명으로 옳은 것을 모두 고르시오. (　　,　　)

① 쓰레기는 체에 남는다.
② 모래는 체 아래로 빠져나간다.
③ 체의 눈은 모래보다 작아야 한다.
④ 체의 눈은 쓰레기보다 커야 한다.
⑤ 모래와 쓰레기 모두 체 아래로 빠져나간다.

04 다음 중 쌀, 쇠 구슬, 플라스틱 구슬이 섞여 있는 혼합물을 분리하는 데 이용되는 물질의 성질을 모두 고르시오. (　　,　　)

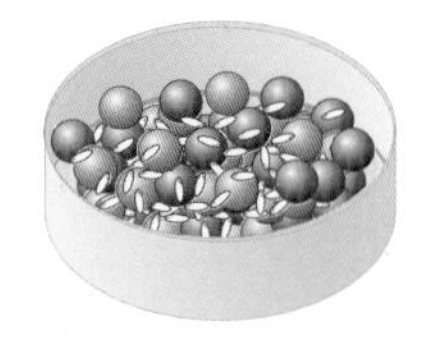

① 알갱이의 모양을 이용한다.
② 알갱이의 무게를 이용한다.
③ 알갱이의 크기를 이용한다.
④ 물에 뜨는 성질을 이용한다.
⑤ 자석에 철이 붙는 성질을 이용한다.

05 다음 〈보기〉 중 생활 속에서 자석을 이용하여 분리하는 모습으로 옳은 것만을 모두 고른 것은 어느 것입니까? (　　)

> **보기**
> ㉠ 구리 광석에 섞여 있는 순수한 구리를 분리한다.
> ㉡ 알루미늄 캔과 철 캔이 섞인 재활용품 속에서 철 캔만 분리한다.
> ㉢ 흙 속에 있는 철가루를 분리하거나, 고춧가루에서 철 가루를 분리한다.

① ㉢　② ㉠, ㉡
③ ㉠, ㉢　④ ㉡, ㉢
⑤ ㉠, ㉡, ㉢

중요

06 다음은 소금과 후추를 물에 녹인 혼합물을 거름 장치를 이용하여 분리하는 실험입니다. 이 실험에 대한 설명으로 옳은 것을 〈보기〉에서 모두 고른 것은 어느 것입니까? ( )

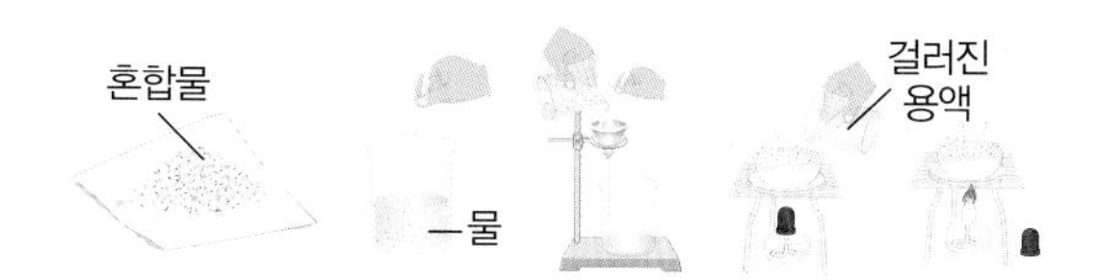

보기

㉠ 혼합물을 거름 장치로 거르면 거름종이에 후추가 남는다.
㉡ 물에 녹는 물질과 물에 녹지 않는 물질을 분리하는 방법이다.
㉢ 거름 장치에 걸러진 물질을 가열하면 회색을 띠는 알갱이가 남는다.

① ㉠
② ㉢
③ ㉠, ㉡
④ ㉡, ㉢
⑤ ㉠, ㉡, ㉢

07 다음 중 생활 속에서 거름을 이용하는 예로 옳지 않은 것을 모두 고르시오. (,)

① 녹즙기의 거름망에서 찌꺼기와 녹즙을 분리한다.
② 찻잎에서 물에 녹는 성분만 우려내고, 찻잎을 걸러낸다.
③ 염전에 바닷물을 모아 두고 햇빛과 바람으로 물을 증발시켜 소금을 얻는다.
④ 검은 종이에 소금물로 그림을 그리고 말리면 검은색 종이 위에 소금이 남는다.
⑤ 메주를 소금물에 넣어 둔 후 체에 걸러 통과한 물질은 간장, 체 위에 남은 물질은 된장이다.

08 다음은 비커와 페트리 접시에 물과 식용유가 섞인 모습입니다. 이를 분리하기 위한 설명으로 옳은 것은 어느 것입니까? ( )

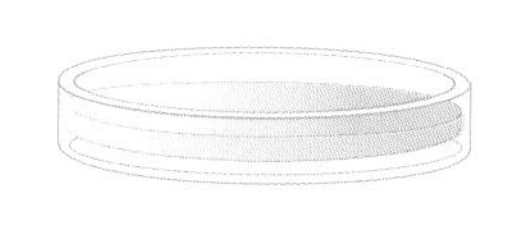

① 비커는 흡착포를 이용하여 분리한다.
② 페트리 접시는 스포이트를 이용하여 분리한다.
③ 흡착포를 이용하여 분리한 식용유는 재사용할 수 있다.
④ 물과 식용유가 서로 섞이지 않는 성질을 이용하여 분리한다.
⑤ 물과 식용유를 분리할 때 흡착포보다 스포이트를 이용하는 것이 더 편리하다.

09 다음 중 끓인 콩물 거르기와 두부 틀에 콩물 붓기에서 이용한 혼합물의 분리 방법으로 옳은 것은 어느 것입니까? ( )

① 자석에 붙는 성질
② 알갱이의 모양 차이
③ 알갱이의 무게 차이
④ 알갱이의 크기 차이
⑤ 서로 섞이지 않는 성질

중요

10 다음 중 걸러낸 콩물에 간수를 넣었을 때 나타나는 변화로 옳은 것은 어느 것입니까? ( )

① 콩물이 사라진다.
② 콩물이 맑아진다.
③ 콩물이 까맣게 변한다.
④ 콩물이 더 빨리 끓는다.
⑤ 하얀색 덩어리가 생긴다.

서술형으로 다지기

손에 잡히는 문제 해결

그물코의 크기를 제한 하는 이유를 생각해 봅니다.

▼

그물코의 크기에 따라 달라지는 요인은 무엇일까요?

▼

그물코가 작을 때, 생태계에 미치는 영향을 생각해 봅니다.

01 현재 수자원보호령에 의해 그물로 물고기를 잡을 때 그물코의 크기를 제한하고 있습니다. 그물코가 큰 그물로 물고기를 잡게 하는 이유를 적어보세요.

손에 잡히는 문제 해결

콩, 팥, 좁쌀의 분리 방법을 생각해 본다.

▼

콩, 팥, 좁쌀을 분리하기 위해 필요한 종이컵의 갯수는 몇 개인가요?

▼

빠른 시간 안에 분리하려면 어떻게 해야 할까요?

02 다음은 종이컵에 송곳을 뚫어 콩, 팥, 좁쌀을 분리하려고 합니다. 이때 필요한 종이컵의 개수는 몇 개인지 쓰고, 가장 빠른 시간에 안에 콩, 팥, 좁쌀을 분리하려면 어떻게 해야 하는지 적어보세요.

▲ 콩

▲ 팥

▲ 좁쌀

03 바다에 유출된 기름은 기름의 독성 뿐만 아니라 바닷물과 섞이지 않고 바다 위에 기름층을 만들어 빛이 바다 속으로 들어가지 못하게 하여 생태계에 큰 피해를 줍니다. 만약 기름이 유출되었다면 어떻게 분리해야 할지 적어보세요.

손에 잡히는 문제 해결

기름이 유출된 바다 상황을 생각해 봅니다.

▼

유출된 기름이 넓게 퍼지지 않게 하려면 어떤 방법이 있을까요?

▼

유출된 기름을 없애기 위한 방법은 무엇이 있을까요?

04 다음은 소금, 각설탕, 좀약의 특징을 나타낸 글입니다. 이 세 가지 물질이 섞여 있는 혼합물을 분리할 수 있는 실험 방법을 설계해 보세요.

구분	소금	각설탕	좀약
모양	일정하지 않다.	네모난 모양	둥근 모양
크기	약 0.3 cm 정도	가로, 세로, 높이가 약 1 cm 정도	지름이 약 2 cm 정도
물에 녹는 정도	잘 녹는다.	잘 녹는다.	녹지 않는다.
특징	짠맛이 난다.	단맛이 난다.	공기 중에 두면 크기가 점점 작아진다.

손에 잡히는 문제 해결

혼합물 분리 방법에는 무엇이 있나요?

▼

표를 통해 소금, 각설탕, 좀약의 특징을 파악합니다.

▼

각 물질의 특징을 바탕으로 혼합물을 분리할 수 있는 방법을 찾아 실험 방법을 설계해 봅니다.

융합사고력 키우기

STEAM

- ✓ Science
  - ▶ 캡사이신
- ✓ Technology
  - ▶ 추출
- ✓ Engineering
  - ▶ 나노에멀전
- Art
- Mathmatics

다이어트에 효과적인 고추 음료수

다이어트에 효과적이고 암도 억제하는 식품을 간편하게 먹고 마실 수 있다면 얼마나 좋을까.

최근 기능성 식품 시장에 '고추 음료수, 카레 알약, 포도 조미료'와 같은 생소한 제품들이 등장하기 시작했다. 사람에게 도움을 주는 각종 천연물질을 섭취하기 쉽게 만든 제품들이다. 최근 국내외에서 생(生)으로 먹던 천연 물질을 몸 속 세포까지 효과적으로 전달하는 기술들이 속속 개발되고 있어, 가까운 미래의 식탁 문화에 큰 변화가 있을 것으로 기대된다.

한국식품연구원 기능소재연구단 책임연구원팀은 살을 빼는 데 효과적인 고추 음료수를 개발했다. 이 제품은 다이어트에 도움을 주는 것으로 알려진 고추의 매운 맛 성분인 '캡사이신'을 아주 작은 '나노에멀전'으로 만들어 음료수나 알약 형태로 먹을 수 있게 한 것이다.

연구진은 물에 녹지 않는 캡사이신을 식용 계면활성제로 감싸 물에 잘 녹게 만들고, 생체 고분자물질로 된 껍질을 덧붙여 안정성을 높였다. 크기는 50~100nm(나노미터, 1nm=10억분의 1m)에 불과해 흡수 효과가 뛰어나고 매운 맛이 덜하게 조절할 수도 있었다. 또 2년 동안 보관해도 효능이 변하지 않았다.

연구원은 "개발한 물질을 비만 쥐에게 먹였더니 비만 유전자를 조절해 몸무게를 줄이는 효과가 나타났다"며 "이 기술을 활용하면 마늘이나 양파, 생강 등에 있는 유용 성분도 기능성 식품으로 개발할 수 있을 것"이라고 말했다.

고추 음료

용어 풀이

- **나노**
  10억분의 1
- **에멀전**
  액체에 액체 방울 또는 액정이 분산되어 있는 콜로이드계
- **계면활성제**
  분자 속에 기름에 녹기 쉬운 부분과 물에 녹기 쉬운 부분의 양편을 아울러 가지고 있어 섞이지 않는 두 성분이 잘 섞이게 하는 물질
- **생체**
  생물의 몸. 살아 있는 몸. 생물체

1 다이어트에 도움을 주는 것으로 알려진 고추의 매운 맛 성분인 캡사이신의 특징은 무엇인가요?

정답 및 해설
19쪽

2 대부분 고추를 이용한 식품은 고추를 분쇄한 뒤 캡사이신을 뽑아 만드는데 이러한 식품들은 체내 흡수율이 떨어집니다. 고추 음료수는 체내 흡수율을 어떻게 높였는지 기존 식품과 비교하여 적어보세요.

기존 식품의 캡사이신은 왜 체내 흡수율이 떨어졌을까요?

체내 흡수율을 높이려면 어떻게 해야 할까요?

고추 음료수는 어떤 부분을 해결한 것인가요?

논술형

3 캡사이신을 나노에멀전으로 만든 것처럼 미국 연구진은 카레의 주성분인 커큐민과 포도에서 나오는 바이타민 레스베라트롤 등을 캡슐화하는데 성공했습니다. 건강에 유용한 성분을 캡슐화하면 어떤 장점을 있는지 2가지 적어보세요.

손에 잡히는 STEAM

입으로 먹은 음식물은 어떤 과정을 거쳐 흡수될까요?

유용 성분은 어디에서 흡수될까요?

유용 성분을 캡슐로 감싸는 이유는 무엇일까요?

탐구력 키우기

치즈와 버터 만들기

우유, 바닷물, 공기 등 우리 주위의 대부분의 물질은 여러 가지 성분이 섞여 있는 혼합물입니다. 혼합물 분리 방법을 이용하여 우유로 치즈와 버터를 만들어보세요.

준비물

우유, 식초, 가열장치, 소금, 냄비, 면보자기, 체, 숟가락, 우유 생크림, 소금, 깨끗한 페트병

탐구 과정

실험 1 ① 냄비에 우유를 넣고 약불에서 서서히 저어주면서 끓인다.
② 우유가 끓으면 소금 약간과 식초를 10 mL 넣고 한두 번만 저어준다.
③ 불을 끄고 식힌다.
④ 체 위에 면보자기를 펼치고 우유를 붓는다.
⑤ 무거운 물체로 눌러서 20분 동안 물기를 빼준다.

치즈 만들기

실험 2 ① 페트병에 우유 생크림을 넣는다.
② 페트병 뚜껑을 닫고 페트병을 위아래로 세게 흔든다.
③ 덩어리가 생기기 시작하면 소금을 조금 넣는다.
④ 페트병 표면에 붙어 있는 덩어리가 한덩어리가 될 때까지 세게 흔든다.
⑤ 페트병 속 액체를 따라내고 페트병을 몇 번 더 세게 흔든다.
⑥ 페트병 속 액체를 따라내고, 페트병을 잘라 덩어리를 꺼내어 접시에 담는다.

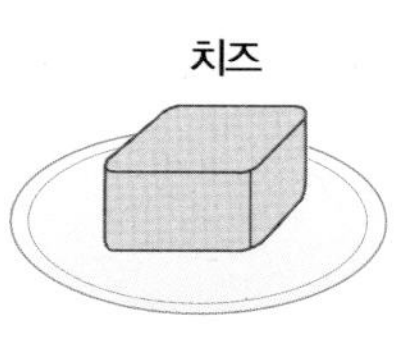

주의사항

- 식초 대신 레몬즙을 사용해도 된다.
- 우유에 식초를 넣고 많이 젓지 않는다.
- 치즈는 충분히 물기를 빼준다.
- 버터를 만들 때 페트병을 세차게 여러 번 흔든다.

정답 및 해설
19쪽

1 우유에 식초를 넣으면 어떻게 되는지 적어보세요.

2 실험 2 의 ④, ⑤ 단계에서 우유 생크림을 넣은 페트병을 흔들었을 때 나타나는 변화를 적어보세요.

② 단계 : 물을 흔드는 느낌이다. → ④ 단계 :

→ ⑤ 단계 :

3 치즈와 버터를 만들 때 이용된 혼합물의 분리 방법을 적어보세요.

• 치즈 만들기

• 버터 만들기

①

②

③

STEAM

4 사람은 공기 없이 3분, 물 없이 3일, 음식 없이 3주까지 살아남을 수 있습니다. 만약 무인도에 떨어졌을 때, 3일 동안 물을 찾지 못하면 목이 말라 죽을 수도 있습니다. 무인도에서 물을 구했다 하더라도 물에는 흙이나 작은 생물들이 살고 있어 바로 마시면 탈이 날 수 있기 때문에 기본적인 정수를 해서 마셔야 합니다. 무인도 주위에서 구할 수 있는 재료를 이용하여 간이 정수기를 설계하고, 정수기에 적용된 혼합물 분리 방법을 설명해 보세요.

▼ 간이 정수기 모습과 사용한 재료

융합인재교육 STEAM 이란?

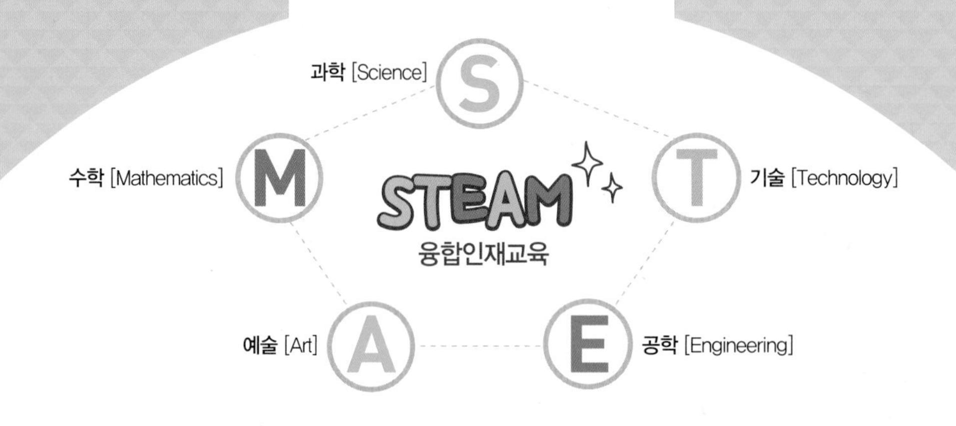

• 수학, 과학, 기술, 공학 간 상호 연계성 고려, 학문 간 공통 핵심 요소 중심으로 교육
• 예술적 소양을 함양하고 타 학문에 대한 이해가 깊은 미래형 인재 양성으로 교육

[자료 출처 : 한국과학창의재단]

융합인재교육은 과학기술공학과 관련된 다양한 분야의 융합적 지식, 과정, 본성에 대한 흥미와 이해를 높여 창의적이고 종합적으로 문제를 해결할 수 있는 융합적 소양(STEAM Literacy)을 갖춘 인재를 양성하는 교육이라고 정의하고 있다. 학습자가 실제 문제 상황을 다양하게 설계하고 해결하는 과정을 통해 새로운 개념을 생성하고, 창의적으로 설계하며, 더불어 사는 인성, 즉 사회적 감성을 발달하도록 하는 것이다.
이러한 융합인재교육(STEAM)의 목적은 다음과 같이 정리할 수 있다.

- 빠르게 변화하는 사회 변화의 적응력을 높이는 것이다.
- 개인의 창의인성, 지성과 감성의 균형 있는 발달을 돕는 것이다.
- 타인을 배려하고 협력하며, 소통하는 능력을 함양하는 것이다.
- 과학 효능감과 자신감, 과학에 대한 흥미 등을 증진시킴으로써 과학 학습에 대한 동기 유발을 높이는 것이다.
- 융합적 지식 및 과정의 중요성을 인식시키는 것이다.
- 학습자 중심의 수평적 융합적 교육으로 전환하는 것이다.
- 합리적이고 다양성을 인정하는 문화 형성에 기여하는 것이다.
- 대중의 과학화를 기반으로 한 합리적인 사회를 구성하는 데 기여하는 것이다.
- 창조적 협력 인재를 양성하는 것이다.
- 수학, 과학, 기술, 공학 간 상호 연계성 고려, 학문 간 공통 핵심 요소 중심으로 교육
- 예술적 소양을 함양하고 타 학문에 대한 이해가 깊은 미래형 인재 양성으로 교육

안쌤의 창의적 문제해결력 시리즈

초등 1~2 학년

초등 3~4 학년

초등 5~6 학년

중등 1~2 학년

안쌤의
창의적 문제해결력 시리즈

초등
1~2
학년

초등
3~4
학년

초등
5~6
학년

중등
1~2
학년

새 교육과정 3~4학년 STEAM 과학

초등 4·1

안쌤의

최상위 줄기과학

인기 강사 강력 추천 100명

정답 및 해설

최상위권 학생을 위한
심화 개념 구성

소단원별
STEAM 융합사고력 키우기

단원별
STEAM 탐구력 키우기

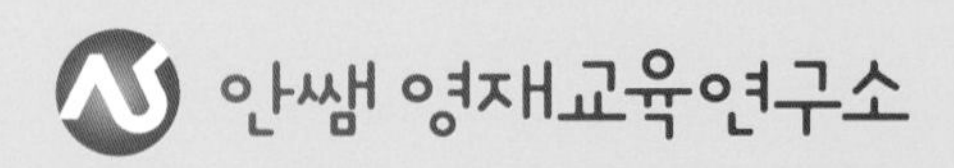

상위 1%가 되는 길로 안내하는 이정표로,
학생들이 꿈을 이루어갈 수 있도록 콘텐츠 개발과 강의 연구를 하고 있다.

안쌤 영재교육연구소

안재범, 최은화, 유나영, 이상호, 추진희, 허재이, 오아린, 이나연, 김혜진, 이유경, 이가영

인기 강사 100명 강력 추천

강도연, 강미라, 강옥주, 강은영, 강혜정, 고려욱, 곽미영, 김민정, 김보란, 김순정, 김연지, 김영준, 김은선, 김은희, 김정숙, 김정아, 김정애, 김종욱, 김주석, 김형진, 김효선, 노형섭, 문희정, 박노섭, 박선미, 박세언, 박애자, 박우용, 박윤하, 박정연, 박지은, 박진국, 박하나, 박헌진, 배정인, 배혜정, 백광열, 백지연, 변애나, 복주리, 서동진, 서유경, 서윤정, 소선영, 신규숙, 신상희, 신석화, 신현주, 안진희, 엄정연, 염경화, 오고운, 옥정화, 유나영, 유영란, 윤민혜, 윤소희, 윤순주, 이강윤, 이동림, 이미정, 이선영, 이연주, 이영주, 이영훈, 이윤정, 이은덕, 이지영, 이진경, 이혜림, 임선화, 장수진, 장윤희, 장치은, 전익찬, 전진홍, 정동훈, 정보혜, 정수일, 정영숙, 정재은, 정희현, 조영부, 조은실, 조정숙, 지다인, 차규상, 채진희, 최성덕, 최용덕, 최진영, 하영진, 한승철, 한정희, 한지연, 홍금자, 홍영주, 홍정연, 황병문, 황보혜정

정답 및
해설

정답 및 해설

I 지층과 화석

01 층층이 쌓인 지층

개념 기르기 12~13쪽

01 ④ 02 ⑤ 03 ③ 04 ③ 05 ③, ⑤
06 ① 07 ④ 08 ④ 09 ⑤ 10 ③
11 ③

01 지층은 암석이 여러 층으로 쌓여 있는 것이며, 지층이 아닌 것은 층이 보이지 않는다. ㉢은 하나의 암석으로 되어 있으므로 지층이 아니다.

02 수평으로 쌓인 지층은 지구 내부의 여러 가지 힘을 받아서 기울어진 지층, 휘어진 지층(습곡), 끊어져서 이동한 지층(단층) 등으로 모양이 바뀐다. 습곡은 지구 내부의 힘을 받아 물결 모양으로 휘어진 지층이고, 단층은 지구 내부의 힘을 받아 위아래로 어긋난 지층을 말한다.

03 지층은 암석이 층으로 쌓여 있는 것으로 나란한 줄무늬인 층리가 있다. 각 층마다 알갱이의 크기와 색깔이 서로 다르고, 같은 층에는 알갱이의 크기와 색깔이 비슷하다.

04 실험을 통해 지층이 만들어지는 과정을 알 수 있고, 먼저 쌓인 지층은 아랫부분에, 나중에 쌓인 지층은 윗부분에 있음을 알 수 있다.

05 실제 지층과 식빵으로 만든 지층의 공통점은 여러 색깔의 층이 층층이 쌓여 있는 것, 각 층마다 색깔이 다른 것, 줄무늬가 있는 것, 아래에 있는 층일수록 먼저 쌓인 층이라는 것이다.
① 식빵으로 만든 지층은 부드러운 재료로 만들어 단단하지 않다.
④ 실제 지층은 오랜 시간 만들어졌지만 식빵으로 만든 지층은 짧은 시간 동안 만들어졌다.

06 이암은 알갱이의 크기가 진흙처럼 작아서 잘 보이지 않는다. 사암은 알갱이의 크기가 모래 크기 정도이며 층리가 거의 없다. 역암은 자갈, 모래, 진흙으로 이루어진 암석으로 굵은 자갈이 분명하게 보인다. 석회암은 석회질 성분이 쌓여서 만들어진 암석으로 묽은 염산을 뿌리면 이산화 탄소가 발생한다. 현무암은 마그마가 굳어서 만들어진 화성암이다.

07 이암은 진흙, 사암은 모래와 진흙, 역암은 자갈, 모래, 진흙으로 이루어져 있어서 암석을 이루는 알갱이의 크기로 이암, 사암, 역암을 구분할 수 있다. 암석의 모양, 색깔, 크기, 생성 시기는 암석마다 같을 수 있기 때문에 암석을 구분하는 기준이 될 수 없다.

08 ① 역암인지 확인하는 방법이다.
② 사암인지 확인하는 방법이다.
④ 묽은 염산을 떨어뜨렸을 때 거품(이산화 탄소)이 나는 것은 석회암 이외에 다른 퇴적암에서는 볼 수 없는 현상이다.
⑤ 이암인지 확인하는 방법이다.

09 ① 물풀은 모래 알갱이들 사이의 공간이 채워져 엉겨 붙게 한다.
② 하루 동안 그대로 두면 모래 반죽이 단단하게 굳어져 딱딱해진다.
③ 퇴적암이 만들어지는 과정을 알아보는 실험이다.
④ 모래로 이루어진 암석이므로 실제 퇴적암에서 사암과 같다.

10 돋보기는 물체를 확대하여 볼 수 있으므로 암석의 알갱이 등을 자세히 관찰하는 데 필요하다. 안전모, 보안경, 장갑 등은 암석을 안전하게 관찰하기 위한 장비이고, 암석 망치는 암석을 쉽게 캐거나 깨뜨리기 위한 장비이다.

11 강, 바닷가, 산골짜기의 절벽이나 산사태가 나서 무너진 산비탈, 산이나 언덕을 깎은 곳에서 지층을 쉽게 볼 수 있다. 하지만 산 정상 부근에서는 지층보다 암석을 더 쉽게 관찰할 수 있다.

서술형으로 다지기 14~15쪽

01 모범답안 각 층을 이루는 퇴적물이 다르기 때문에 경계선인 층리가 나타난다.
해설 층리는 퇴적물이 퇴적될 때 알갱이의 크기, 색, 구성 물질, 퇴적되는 속도 등이 다르기 때문에 층리가 만들어진

다. 층리를 자세히 관찰해보면 퇴적층마다 입자의 특성이 다르거나 입자들이 배열된 방법이 다르기 때문에 구분 가능하여 줄무늬로 보이는 것이다.

02 예시답안 이암, 사암, 역암의 특징을 포함하여 기호로 나타내어 본다.

- 역암의 알갱이 크기는 크게, 이암의 알갱이 크기는 작게 표현한다.
- 못으로 긁었을 때를 선의 길이로 표현한다.
- 원은 부드러움, 사각형은 보통, 별모양은 까칠함을 표현한다.

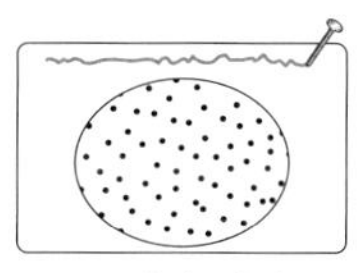
▲ 예시 이암

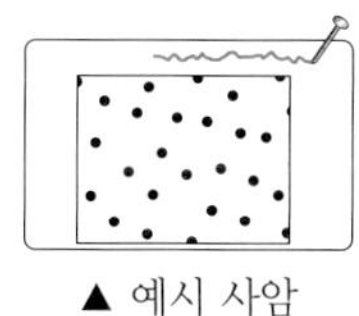
▲ 예시 사암

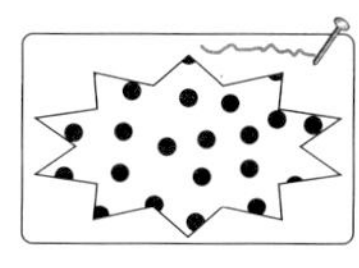
▲ 예시 역암

해설 촉감, 알갱이 크기, 못으로 긁었을 때가 모두 포함된 기호를 만들도록 한다.

03 모범답안

- (가) : 퇴적물이 계속 쌓이면 위에 쌓인 퇴적물의 무게에 의하여 압축되는 과정을 나타낸 것이다.
- (나) : 압축된 퇴적물이 물속에 녹아 있는 물질에 의해 접착되어 굳어지는 과정을 나타낸 것이다.

해설 퇴적암은 퇴적물의 압축 작용과 교결 작용에 의하여 생성된다. 그림 (가)는 압축 작용으로 위에 쌓인 퇴적물에 의해 다져지고 압축되는 과정을 말한다. 그림 (나)는 교결 작용으로 물에 녹아 있던 여러 가지 침전물이 퇴적물의 빈틈에 들어가 단단하게 굳어지는 과정을 말한다.

04 모범답안

- A : 역암, B : 사암, C : 이암
- 이유 : 육지에서 강물과 함께 운반된 퇴적물이 바다와 만나면 강물의 속도가 느려지면서 퇴적물이 퇴적된다. 알갱이가 크고 무거울수록 육지와 가까운 곳에 바로 퇴적되고, 알갱이가 작고 가벼울수록 퇴적물이 멀리까지 옮겨져 퇴적되기 때문에 육지와 멀어질수록 퇴적물의 크기가 작아진다.

해설 강물이 자갈, 모래, 진흙 등의 다양한 알갱이를 포함하여 흘러내려 오다가 바다를 만나면 물의 흐름이 느려진다. 물의 흐름이 느려질수록 퇴적물과 함께 흐를수 없기 때문에 무겁고 큰 퇴적물부터 바다 밑으로 가라앉고, 가볍고 작은 알갱이들은 가장 멀리까지 이동하여 가라앉게 된다.

융합사고력 키우기 16~17쪽

01 모범답안 역암

해설 역암은 크기가 2 mm 이상인 둥근 알갱이가 30 % 이상 들어 있는 쇄설성 퇴적암이다. 역암은 암석에 들어 있는 자갈이 둥근 모양이며, 각력암은 암석에 들어 있는 자갈이 각이 져 있는 모난 모양이다. 역암은 물의 흐름이 갑자기 느려지는 곳에서 만들어진다. 선상지 또는 삼각주에서는 물의 흐름이 갑자기 느려지므로 자갈, 모래, 진흙 등이 뒤섞여 쌓이는 퇴적 작용이 일어나 역암이 만들어진다. 역암층이 발견되면 이 곳은 과거에 선상지이거나 삼각주였음을 알 수 있으며, 알갱이의 크기 분포를 조사하면 과거에 물이 흘렀던 방향도 알 수 있다.

02 모범답안 바위에서 낮과 밤의 온도 차가 큰 곳은 낮에 햇볕을 많이 받는 남쪽이기 때문에 얼음이 얼고 녹는 과정이 북쪽보다 크게 반복되면서 타포니 지형이 만들어졌을 것이다. 또한 비바람도 작용했을 것이다. 일단 구멍이 생기면 풍화가 집중되면서 구멍이 점점 커졌을 것이다.

해설 타포니는 암석의 암벽(측면)에 벌집처럼 집단적으로 파인 구멍을 말한다. 풍화 작용은 보통 바위 표면에서 시작되나, 타포니 지형은 바위 내부에서 시작하여 내부가 팽창되면서 밖에 있는 바위 표면을 밀어냄으로써 만들어진다. 마이산은 세계에서 타포니 지형이 가장 발달한 곳이다. 마이산의 타포니는 옛날부터 지금에 이르기까지 지속적으로 형성된 것이 아니고 특수한 기후 조건, 즉 신생대 제 4기의 빙하기와 뒤에 온 한랭기에 형성되었다고 한다.

03 모범답안 물이 가장자리부터 얼면서 부피가 증가하면 안쪽에 있던 물이 아직 얼지 않은 가운데 표면 위로 밀려나와 고드름이 위로 자란다.

해설 고드름은 물이 얼면서 부피가 증가할 때 숨구멍을 따라 얼음 기둥이 만들어지는 현상이다. 은수사에서만 볼 수 있는 역(逆)고드름은 마이산의 다른 곳에서도 나타나는 현상이지만 은수사 쪽에서 가장 두드러진다. 은수사란 이름은 조선

태조 이성계가 이곳의 물을 마시고 물이 은같이 맑다고 하여 붙여진 이름이라 전해진다. 얼음은 물이 담긴 그릇의 가장자리 표면에서 처음 생겨난다. 그러다 살얼음이 점점 가운데 방향으로 얇게 퍼지며 물 위에 생긴다. 이와 동시에 그릇 아랫부분에도 얼음이 언다. 이는 우리가 얼음을 만들려고 냉동실에 물을 담아 넣어 두었다가 얼음이 완전히 얼기 전에 그릇을 꺼내보면 쉽게 확인할 수 있다. 가장자리는 얼었지만 가운데가 텅 비어 있는 모습이다. 역고드름이 생성되는 단계는 그 다음부터다. 얼음이 점점 늘어나다 보면 표면 가운데 부분에만 물이 얼지 않는 상태로 남게 된다. 물이 얼면 부피가 커지는데 가장자리 얼음이 늘면서 부피도 점차 커진다. 따라서 아직 얼지 않는 상태인 가운데 부분의 물은 빠져나갈 부분이 필요하게 되고, 그곳이 표면 가운데 부분의 구멍이다. 구멍을 통해 밀려나온 물은 구멍 가장자리에서 다시 언다. 이런 과정이 반복되면서 가운데가 얼지 않는 얼음 기둥이 생긴다. 마치 용암이 분화구에서 흘러나오면서 화산이 더 높게 솟아나듯 말이다. 그러다 얼음 기둥 위 구멍이 막히면 고드름은 더는 성장하지 않는다. 바람이 불면 고드름이 위로 더 잘 자란다.

02 지층 속에 남아 있는 생물의 흔적

개념 기르기 22~23쪽

01 ② 02 ①, ② 03 ① 04 ③, ④ 05 ③
06 ④ 07 ③ 08 ③ 09 , ①

01 화석은 지질 시대에 살았던 생물의 몸체나 흔적이 암석이나 지층에 남아 있는 것이다. 지질 시대는 인류가 나타나기 전인 약 35억 년 전부터 약 1만 년 전을 말하므로 사람이 남긴 흔적은 화석이 될 수 없다.

02 ③ 모양이 완전하게 발견되지 않더라도 화석이 될 수 있다.
④ 화석은 현재 살고 있는 생물과 비슷한 점을 통해 동물 화석과 식물 화석으로 나눈다.
⑤ 현재 살고 있는 동물의 모습과 비슷한 동물 화석이다.

03 죽은 생물이 강이나 바다 밑에 가라앉고, 그 위로 퇴적물이 오랜 시간 쌓이면 죽은 생물의 몸체가 화석으로 변한다. 풍화나 침식 작용으로 지층이 깎이면 죽은 생물의 화석이 지층 위로 드러난다.

04 ① 알지네이트와 석고는 실제 화석에서 지층을 나타낸다.
② 알지네이트에 동식물 모형의 색은 나타나지 않는다.
⑤ 알지네이트 반죽은 알맹이가 없이 동식물 자국만 남아 있는 화석(몰드)이고, 석고 반죽은 동식물 자국에 자갈, 모래 등 다른 퇴적물이 채워져 알맹이가 남은 화석(캐스트)이다. 몰드와 캐스트 모두 화석이 될 수 있다.

05 ① 화석이 발견된 지층의 연대를 측정하여 생물이 살았던 시기를 알 수 있다.
② 화석의 형태를 통해 생물의 모양이나 크기를 알 수 있다.
④ 알이나 발자국 화석을 통해 생물의 생활 모습을 알 수 있다.
⑤ 산호 화석, 나뭇잎 화석, 고사리 화석 등으로 그 지역의 과거 자연 환경을 알 수 있다.

06 ① 산호 화석을 통해 그 지역이 과거에 얕고 따뜻한 바다였음을 알 수 있다.
④ 고사리는 기온이 따뜻하고 습기가 많은 곳에서 자라는 식물로, 고사리 화석은 과거 그 지역의 자연 환경을 알려준다. 이렇게 과거의 자연 환경을 알려주는 화석을 시상 화석이라고 한다.

07 방추충 화석이 나오는 지층에 석탄이 묻혀 있는 경우가 많다. 방추충 화석은 고생대의 화석으로 '푸줄리나'라고도 한다. 크기는 0.5 mm~3 cm 정도의 동물 화석으로 석회질 껍데기의 생김새가 방추형으로 생겨 방추충으로 이름 붙여졌다. 우리나라에는 강원도 영월 지방에서 발견되었다.

08 두 지층이 멀리 떨어져 있어도 같은 화석이 나오면 그 두 지층은 같은 시기에 만들어진 지층이라고 할 수 있다. 따라서 (나)-㉠, (다)-㉡, (라)-㉢, (마)-㉣ 지층이 서로 같은 시기에 만들어진 지층임을 알 수 있다.

09 ① 가장 먼저 만들어진 지층은 가장 아래쪽에 있는 ㉤이다.
② 최근에 만들어진 화석은 가장 위쪽에 있는 화석이므로 나뭇잎 화석이다.
③ 지층이 쌓이는 순서는 아래부터 쌓이고, 화석이 만들어

지는 순서도 아래부터이므로 순서는 서로 같다.

④ 나뭇잎 화석은 과거 자연 환경을 알려주므로 나무가 자랐던 육지였음을 알 수 있다.

⑤ 지층은 아래부터 쌓인다.

서술형으로 다지기 24~25쪽

01 모범답안 이암, 화석이 발견되려면 생물체가 손상 없이 잘 묻혀야 하기 때문에 자갈로 이루어진 역암보다 알갱이가 곱고 부드러운 진흙으로 이루어진 이암에서 생물체의 손상이 적어 화석이 잘 발견된다.

해설 역암은 알갱이가 크기 때문에 생물체가 묻히더라도 손상이 많고, 알갱이와 알갱이 사이의 빈 공간에 의해 흔적이 빠져나간다. 하지만 이암은 입자가 작고 치밀하기 때문에 생물체가 묻혀도 손상이 적고 잘 보존되므로, 화석이 역암보다 더 잘 발견된다.

02 모범답안 C 지층, ㉢ 화석과 ㉠ 화석이 발견된 지층을 기준으로 볼 때, C지층에 두 개 이상 지층이 없는 것으로 보아 시간적 단절이 가장 크다.

해설 지층에 시간적 단절이 있는 경우 부정합이라고 하는데, 부정합은 퇴적이 중단되거나 층의 일부분이 사라지고 없다. 바다 밑에서 퇴적물이 쌓여 지층이 만들어지고 지층이 지구 내부의 힘에 의해 물 위로 나오면서(융기) 풍화 작용과 침식 작용에 의해 지층이 깎여 나간 다음, 다시 바다 밑으로 가라앉아(침강) 쌓이면 지층 사이에 시간적 단절이 있는 부정합이 만들어진다.

03 모범답안 B, 역암층은 육지에서 가까운 얕은 바다에서 퇴적되기 때문에 역암층에서만 발견된 B가 가장 얕은 바다에 산다.

해설 육지에서 가까울수록 크고 무거운 알갱이가 퇴적되고, 육지에서 멀어질수록 작고 가벼운 알갱이가 퇴적된다. 따라서 역암층에서만 발견된 B가 가장 얕은 바다에 살았던 생물이고, 이암층에서만 발견된 D가 가장 깊은 바다에 살았던 생물임을 알 수 있다.

04 모범답안

- 가까운 거리는 자동차를 이용하기 보다는 걷거나 자전거를 이용한다.
- 여름에 에어컨의 사용을 자제하고 온도를 너무 낮춰 사용하지 않는다.
- 일회용 물건은 화석 연료를 사용해서 만들어지므로 될 수 있으면 사용하지 않는다.
- 사용하지 않는 전기기구의 코드를 뽑아 놓는다.
- 가전제품을 구입할 때 에너지 소비 효율 등급이 높은 제품(1등급)을 구매한다.
- 백열 전구 대신 효율이 좋은 LED 전구를 사용한다.
- 빈 방의 불을 켜 놓지 않는다.
- 빨래는 모아서 한번에 한다.
- 이면지를 사용하여 종이를 아낀다. 등

해설 화석 연료의 사용을 줄이고, 화석 연료를 대체할 에너지를 개발해야 한다. 화석 연료는 연소될 때 무게당 많은 에너지가 발생되므로, 중요한 에너지원이 된다. 하지만 화석 연료는 한 번 사용하면 다시 사용할 수 없고 매장량이 한정되어 있다. 현재 전 세계 에너지 소비의 86 % 정도가 화석 연료에 의지하고 있기 때문에 그 양이 빠르게 줄고 있다. 화석 연료는 만들어지는 데 수백 만년이 걸리고 매장량보다 소비량이 많아 계속 고갈되고 있다.

융합사고력 키우기 26~27쪽

01 모범답안 화석

해설 생존 기간이 길고 특정한 환경에서만 생존하여 지층이 만들어진 환경을 알려주는 화석을 시상화석이라고 하고, 생존 기간이 짧고 넓은 곳에서 생활하여 지층이 만들어진 시대를 알려주는 화석을 표준화석이라고 한다.

02 모범답안 천적으로부터 도망치기 위해 날도록 진화했다.

해설 과거 날치의 형태는 현재의 날치와 비슷하지만 머리는 고대 물고기의 특징을 간직하고 있다. 그리고 이들이 기를 쓰고 피하고자 했던 포식자는 거대한 어룡으로 길이 3 m에 이르는 고대 포식어 비르게리아였다. 포타닉시스 징구엔시스(Potanichthys xingyiensis)란 학명의 이 고대 날치는 몸길이의 거의 절반에 이르는 큰 가슴지느러미와 둘로 갈라진 배지느러미, 그리고 비대칭적인 꼬리지느러미를 지녔다. 네 개의 큰 지느러미를 펴고 마치 복엽기(2개의 날개가 겹쳐진 비행기)처럼 날았을 것이라고 논문은 밝혔다. 현재 날치는 2개 또는 4개의 '날개'로 나는 두 부류로 나뉜다.

03 모범답안

• 자연 환경 : 수온이 높은 바다

• 이유 : 20 ℃ 이하의 낮은 기온에서는 근육의 기능이 떨어져 제대로 날지 못하기 때문이다.

해설 날치는 표층 수온이 20~23 ℃인 바다에서 서식하는데 수온이 20 ℃에 미치지 못하면 근육의 활력이 떨어져 비행이 불가능해진다. 당시 중국은 한반도와 함께 초대륙(판게아)의 한 부분이었는데, 초대륙의 입 부분에 해당하는 고 테티스해의 입구에 자리 잡고 있었으며 위도가 적도에 가까워 매우 따뜻한 기후였다. 이번 연구는 그런 사실을 뒷받침해 준다.

탐구력 기르기 28~29쪽

01 모범답안

• 실험 과정 ② : 알갱이의 크기가 작고 부드럽다.

• 실험 과정 ③ : 알갱이의 크기가 실험 과정 ②보다 크고, 약간 거칠며 단단하다.

• 실험 과정 ④ : 알갱이의 크기가 제일 크고 굵으며, 거칠고 단단하다.

해설 실험 과정 ②에서 만들어진 퇴적암은 이암으로 알갱이의 크기가 작고 부드럽다. 실험 과정 ③에서 만들어진 퇴적암은 사암으로 알갱이의 크기가 보통이며 약간 거칠다. 실험 과정 ④에서 만들어진 암석은 역암으로 알갱이의 크기가 굵고 다양하며, 거칠고 단단하다.

02 모범답안

• 비슷한 점 : 조개 껍데기의 모습과 무늬가 뚜렷하게 나타난다.

• 다른 점 : 조개 껍데기 화석은 한 가지 색이지만, 실제 화석은 주위 암석과 색이 다르다.

해설 퇴적물 내에 묻힌 생물은 생물체를 구성하는 성분과 다른 성분으로 변하여 화석이 되기 때문에 주위 암석과 색이 다르다.

03 모범답안 생물이 운반되어 퇴적물에 속에 묻히고 그 위에 다른 퇴적물이 쌓여 단단하게 굳어서 화석이 된다.

해설 생물 위에 퇴적물이 계속 쌓이고 오랜 시간이 지나면 생물의 몸체가 화석으로 변한다. 지각 변동으로 인해 퇴적층이 땅 위로 올라온 후 침식되어 지표에 드러나면 화석이 발견된다. 생물이 화석이 되기 위해서는 단단한 부분을 가지고 있어야 하고, 죽은 후 다른 생물의 먹이가 되거나 썩기 전에 묻혀야 한다.

04 모범답안 화석을 연구하면 지층의 생성 시기나 생성 당시의 환경을 추정할 수 있고, 멸종한 생물의 연구 자료로도 이용된다.

해설 화석에는 지구와 생명의 역사가 기록되어 있다. 화석 연구를 통해 생물의 진화 과정을 알 수 있고, 지층의 지각 변동도 추측할 수 있으므로 귀중한 자료이다.

Ⅱ 식물의 한살이

03 씨앗의 싹트기, 식물의 자람(1)

개념 기르기 36~37쪽

01 ③ 02 ①, ② 03 ①, ⑤ 04 ⑤ 05 ②
06 ④ 07 ⑤ 08 ② 09 ⑤ 10 ③
11 ③

01 그림은 강낭콩씨이다. ③ 강낭콩씨의 크기는 가로 1.6 cm, 세로 0.8 cm 정도로 매우 작아 재기 어려운 채송화씨에 비해 크기가 크다. ④ 옥수수씨는 가로 0.9 cm, 세로 0.8 cm 정도로 강낭콩씨보다 크기가 작다.

02 볍씨와 봉숭아씨는 손으로 만져 보았을 때 거칠하고, 강낭콩씨, 옥수수씨, 은행나무씨, 채송화씨는 손으로 만져 보았을 때 매끈하다.

03 여러 가지 씨는 단단하고 껍질에 둘러싸여 있는 공통점이 있고, 색깔, 모양, 촉감, 크기가 다양한 차이점이 있다.

04 ①, ④ 물을 준 강낭콩씨는 싹이 트고, 물을 주지 않은 강낭콩씨는 싹이 트지 않는다.
③ 씨가 물에 계속 잠겨 있을 경우 썩을 수 있으므로 물은 충분히 주되 씨가 잠기지 않도록 한다.
④ 물만 다르게 하고 공기, 온도, 탈지면, 페트리 접시 등은 모두 같게 해 주어야 한다.

05 ① 씨가 싹이 트기 위해서는 알맞은 온도가 필요하고, 온도가 낮으면 씨가 싹이 트지 않는다.
③, ④ 씨가 싹 트는 데 온도가 영향을 주는지 알아보는 실험이다.
⑤ 얼음주머니를 넣은 스타이로폼 상자의 강낭콩씨는 싹이 트지 않는다.

06 ㉠ 물을 주지 않고, 온도가 너무 낮아 강낭콩씨가 싹 트지 않는다.
㉡, ㉢ 씨가 싹이 틀 때 햇빛의 영향은 받지 않기 때문에 싹이 튼다.
씨가 싹 트는 조건은 적당한 양의 물과 알맞은 온도이다.

07 식물의 한살이 관찰 계획서에는 관찰 방법, 관찰 내용, 관찰자 이름, 관찰할 식물의 이름, 씨를 심을 곳, 기르는 방법 등을 적는다.

08 ㉡ 흙은 깊이 파서 뒤집어 잡초를 제거하고 돌을 고른 다음, 흙을 일구고 평탄하게 하여 심는다.
㉢ 이랑을 만들고 씨앗을 심은 다음 물을 뿌리고 팻말을 만들어 꽂는다.

09 ① 흙, 모래, 부식토의 비율을 7 : 1 : 2 정도가 되게 한다.
③ 씨를 너무 깊게 심으면 공기가 잘 통하지 않아 쉽게 썩고, 너무 얕게 심으면 흙에 있는 물이 쉽게 증발되어 씨가 말라 버리기 때문에 씨앗 길이의 두세 배 깊이로 심는다.
⑤ 물이 적절히 빠지도록 망이나 작은 돌로 화분 아랫부분의 물 빠짐 구멍을 막아 준다.

10 ① 땅 위로 떡잎이 두 장 나온다.
② 떡잎 사이로 본잎이 나온다.
④ 싹이 틀 때 뿌리 → 떡잎 → 본잎 순으로 나온다.
⑤ 싹이 틀 때 뿌리가 가장 먼저 나온다.

11 옥수수씨가 싹이 터서 자라는 과정은 씨가 부풀고 뿌리가 나온 다음, 떡잎싸개가 나오고 그 사이로 본잎이 나온다.

서술형으로 다지기 38~39쪽

01 모범답안
• 눈 : 색깔, 모양, 크기를 관찰한다.
• 코 : 냄새를 맡아본다.
• 혀 : 맛을 본다.
• 귀 : 흔들어서 소리를 들어본다.
• 손 : 매끄럽거나 거칠거칠한 정도를 느껴본다.
해설 눈, 코, 혀, 귀, 손을 이용하여 관찰할 수 있는 방법을 각각 생각하여 적어본다.

02 모범답안
• ㉡ 여섯 개의 페트리 접시의 반은 물을 붓고 반은 물을 붓

정답 및 해설

지 않아야 한다.

- ㉣ 물을 부은 페트리 접시와 붓지 않은 페트리 접시를 모두 같은 장소인 창가에 놓아야 한다.
- 이유 : 씨앗이 싹트는 데 물이 미치는 영향을 알아보려면 물을 제외한 공기, 온도, 씨앗의 수 등 다른 조건은 모두 같게 만들어 주어야 하기 때문이다.

해설 여섯 개의 페트리 접시에 3개는 물을 붓고, 나머지 3개는 물을 붓지 않아야 둘 다 같은 조건이 된다. 또한 페트리 접시를 각각 다른 장소에 두면 온도나 햇빛, 공기 등의 영향으로 물에 의한 영향을 정확히 알 수 없기 때문에 같은 장소에 두어야 한다. 페트리 접시를 두 개가 아닌 여섯 개로 실험하는 이유는 실험군과 대조군의 수를 늘려 정확한 실험을 하기 위해서이다.

03 모범답안

- 한살이 기간이 짧아야 한다.
- 식물의 잎, 줄기, 꽃, 열매의 구분이 명확해야 한다.
- 식물이 너무 크지 않아야 한다.
- 주변에서 쉽게 구하고, 기르기가 편해야 한다.

해설 강낭콩, 봉숭아, 나팔꽃, 토마토, 고추 등이 한살이를 관찰하기 좋은 식물이다. 한살이를 관찰하려면 한살이 기간이 짧고, 식물이 너무 크지 않으며 쉽게 구할 수 있고 기르기 편해야 한다. 잎, 줄기, 꽃, 열매 등의 구분이 명확하여 관찰이 쉬운 식물이어야 한다.

04 모범답안 뿌리는 중력의 방향(지구 중심 방향)으로 자라고, 줄기는 빛의 방향으로 자라는 성질이 있기 때문이다.

해설 식물의 성질 중에 굴지성이라는 것이 있는데 이것은 식물이 중력에 반응하여 줄기는 위로 자라고 뿌리는 밑으로 자라는 현상을 말한다. 식물의 기본 축인 뿌리는 지구 중심을 향하여 자라는 양성 굴지성, 줄기는 지구의 중심에서 멀어지는 방향으로 자라는 음성 굴지성을 나타낸다. 이런 성질에 의해 뿌리는 흙에 깊이 박혀 물과 무기 양분을 잘 흡수하게 되고 줄기는 햇빛과 가까워져 광합성에 유리하다.

융합사고력 키우기 40~41쪽

01 모범답안 바이오에탄올, 바이오디젤, 바이오가스

02 모범답안 콩기름, 폐식용유, 소 기름, 돼지 기름 등 지방을 많이 포함하고 있는 식물과 동물

해설 소나 돼지는 지방 함유량이 많아 콩, 유채씨, 해바라기씨에서 얻을 수 있는 기름보다 많다. 100 kg 정도 되는 돼지 한마리를 도축하면 25 kg의 기름을 얻을 수 있다. 현재 국내 바이오디젤의 연간 수요는 4억 L이며, 전량을 수입에 의존하고 있다. 농촌진흥청은 동물성 유지에서 바이오디젤을 얻을 수 있는 기술을 상용화하기 위해 연구개발 중이다.

03 모범답안

● 장점

- 에너지를 저장할 수 있다.
- 재생이 가능하다.
- 물과 온도 조건만 맞으면 지구 어느 곳에서나 얻을 수 있다.
- 작은 자본으로도 개발이 가능하다.
- 원자력 등 다른 에너지와 비교할 때 친환경적이다.

● 단점

- 넓은 면적의 토지와 비료, 토양, 물이 필요하다.
- 자원량의 지역적 차이가 크다.
- 선진국에게 유리하고 선진국이 기술개발 독점을 초래할 수 있다.
- 사람들의 주식인 곡물이 주원료로 사용되기 때문에, 기아에 허덕이는 사람들을 구제하는 데 이용되지 않고 에너지를 만드는 데 사용하는 게 윤리적으로 맞지 않다.
- 주원료가 농작물과 나무이므로 산림훼손이 일어날 수 있고 주된 농작물만 재배함으로써 생태계를 해칠 수있다.

해설 바이오에너지는 화석 연료를 대신할 수 있어 여러 대체에너지 중 수력 발전과 함께 가장 널리 이용되고 있다. 지구 상에서 1년간 생산되는 바이오매스 양은 석유 전체 매장량과 비슷하므로, 적절하게 이용하면 고갈될 염려가 없다.

04 식물의 자람(2), 여러 가지 식물의 한살이

개념 기르기 46~47쪽

01 ④	02 ②	03 ③	04 ⑤	05 ②
06 ②	07 ④	08 ②	09 ③	10 ⑤
11 ①				

01 ① (가)는 물을 적당히 준 식물이다.
② (나)는 물을 주지 않은 식물의 모습이다.
③ 두 식물이 자라기 위한 조건 중 물만 다르게 하고 나머지는 모두 같게 한다.
⑤ 물을 적당히 주고 주지 않는 것만 다르게 하고, 물 주는 시간 등 다른 모든 조건은 같게 해야 한다.

02 ① 식물이 자라기 위해 햇빛이 필요한지 알아보는 실험이다.
③ 식물이 잘 자라기 위해서는 충분한 햇빛이 필요하다.
④ 10일 뒤 햇빛을 받지 못한 식물은 잎의 색깔이 연하고 줄기가 가늘게 자란다.
⑤ 햇빛을 받지 못한 식물은 거의 자라지 않는다.

03 강낭콩의 잎과 줄기의 자람을 측정하는 방법으로는 잎과 줄기의 개수를 세어 보거나, 잎의 크기, 줄기의 길이 등을 재어 보는 방법이 있다. 잎과 줄기의 자람을 관찰할 때는 하나의 갓 나온 어린 잎과 줄기를 선택한다.
③ 잎과 줄기의 자람은 3~4일 간격으로 측정한다.

04 줄기와 잎자루 사이에는 새 줄기가 나오며, 줄기의 끝 부분에서 새로운 잎이 생긴다.

05 꽃망울의 개수가 점점 많아지고 꽃이 피기 시작한다. → 활짝 피는 꽃이 많아진다. → 꽃이 지면서 꼬투리가 생긴다. → 열매는 시간이 지남에 따라 점점 커진다. → 열매의 개수가 많아진다.

06 ① 벼꽃은 하얀색이다.
③ 볍씨 사이로 뿌리와 떡잎싸개가 나오고, 떡잎싸개에 싸여 본잎이 나온다.
④ 벼꽃이 진 뒤에 표면이 거칠거칠한 노란색의 열매(볍씨)가 달린다.
⑤ 반으로 갈라진 노란색의 벼 껍질 속에 여섯 개의 수술이 나와 있다.

07 옥수수와 벼는 떡잎이 나오지 않고 떡잎싸개가 나오고, 강낭콩과 봉숭아는 두 장의 떡잎이 밖으로 나온다.

08 한해살이 식물에는 벼, 강낭콩, 옥수수, 봉숭아, 맨드라미, 나팔꽃, 해바라기, 강아지풀, 코스모스, 오이, 호박 등이 있고, 여러해살이 식물에는 쑥, 민들레, 사과나무, 무궁화, 느티나무, 진달래, 철쭉, 쑥 등이 있다.

09 한해살이 식물은 한살이 과정이 일 년 이내이기 때문에 이듬해까지 남아 있지 못하고 죽는다. 일 년 동안 씨가 싹터서 자라 꽃을 피우고 열매를 맺어 대를 잇고 죽는다.

10 ① 둘 다 모두 씨가 있다.
② 한해살이 식물은 모두 풀이고, 여러해살이 식물은 풀과 나무가 있다.
③ 둘 다 열매가 맺기까지 걸리는 시간은 1년 이내이다.
④ 여러해살이 식물은 이듬해 봄에 새순이 나온다.

11 ② 인삼은 땅속에 묻힌 뿌리로 겨울을 난다.
③, ⑤ 참나무와 단풍나무는 잎을 모두 떨어뜨려 겨울을 난다.
④ 민들레는 뿌리잎으로 겨울을 난다.

서술형으로 다지기

48~49쪽

01 모범답안 강낭콩의 키, 잎의 수, 줄기의 굵기, 잎의 크기, 줄기의 수 등
해설 날짜에 따라 늘어나는 잎의 개수를 세어 기록한다. 또한 잎에 격자 모양의 간격이 커지는 것을 통해 잎의 크기가 자란 것을 알 수 있다. 새로 난 줄기의 개수를 기록하고, 유성펜으로 그린 선의 간격이 벌어지는 것을 통해 줄기의 길이가 자란 것을 알 수 있다.

02 모범답안
- ㉠ 본잎, ㉡ 잎과 줄기, ㉢ 열매
- 차이점 : 호박씨와 강낭콩씨 모두 떡잎이 나오므로 두 씨앗의 한살이는 차이점이 없다.

해설 두 식물 모두 씨앗에서 싹이 터서 두 장의 떡잎이 나온다. 떡잎 사이에서 본잎이 나오고 잎과 줄기가 자란다. 꽃이 핀 다음 열매가 생긴다. 떡잎은 씨 안에 있는 부분으로 식물이 싹 터서 자라는 데 필요한 양분이 저장되어 있다. 떡잎이 두 장인 식물을 쌍떡잎식물, 떡잎이 한 장인 식물을 외떡잎식물이라고 한다.

03 모범답안 각각의 꼬투리에 공급되는 양분의 양이 다르기 때

문에 꼬투리마다 들어 있는 강낭콩의 크기와 수가 다르다.

해설 강낭콩의 꼬투리에게 양분이 전달되어 새로운 강낭콩이 만들어지지만 공급되는 양분의 양이 정확하게 같지 않으므로 각각의 꼬투리 속의 강낭콩의 모양과 수는 모두 다르다. 강낭콩이 자람에 따라 꼬투리의 수는 점점 많아지고 커지게 되고, 꼬투리에 양분이 많이 전달될수록 크기가 크고 수가 많아진다.

04 모범답안 꽃이 피고 열매를 맺은 후부터 길이가 늘어나지 않았을 것이다. 싹이 튼 후에는 줄기의 성장이 매우 빠르지만 꽃이 피고 열매를 맺은 후부터는 성장 속도가 더디거나 멈추기 때문이다.

해설 싹이 튼 직후에는 양분이 줄기가 계속 자라는 데 많이 쓰이지만, 꽃이 피고 열매를 맺으면 대부분의 양분들이 열매로 간다. 열매에 양분이 집중될수록 더 좋은 열매를 맺기 때문에, 줄기 쪽으로 양분이 거의 가지 않아 줄기가 더 이상 자라지 않는다.

융합사고력 키우기

50~51쪽

01 모범답안 2020년까지 1인당 쌀 소비량을 70 kg 이상으로 유지하는 것이다.

02 모범답안

- 밥 대신 국수, 라면, 빵, 피자, 햄버거 등 밀가루로 만든 음식을 자주 먹기 때문이다.
- 하루에 세 끼를 먹지 않기 때문이다.
- 식생활 습관이 변했기 때문이다.
- 과식을 우려해 밥을 적게 먹기 때문이다.

해설 쌀은 우리나라 식량 중 유일하게 자급률이 100 % 가까이 되는 품목이였는데 최근 3년 연속 80 % 수준까지 감소하고 있다.

03 모범답안

- 쌀 가격 하락으로 농민 소득이 줄어든다.
- 농민의 수가 줄어들게 되어 결국엔 쌀 생산량이 감소하게 된다. (현재 5 %의 농민이 95 %의 도시 인구의 밥상을 책임지고 있다.)
- 쌀 자급률이 감소한다. 자급률이 감소하게 되면 부족한 만큼 외국 수입에 의존하게 된다.
- 오랜 시간이 지나면 쌀가격이 상승하게 된다.
- 논 면적이 감소함으로써 생태계가 무너지며, 지하수가 부족해지고, 지하수의 수질이 나빠진다.(논이 지표면의 물을 정화해서 지하수로 흘려 보낸다.)

해설 일본 구마모또시의 경우 지하수 부족이 심화되어 원인을 분석한 결과, 논 면적의 감소가 주 원인이었음을 밝혀내 논에 물만 가둬도 보조금을 지불하는 정책을 펴고 있다. 지하수 확보에 논이 결정적인 역할을 하고 있음을 보여주는 사례다. 이는 지하수의 부족은 농업인만의 문제가 아니고, 도시 전체에 심각한 영향을 주는 것이기에 국민의 세금을 해당 농가에 지원하는 것을 전체 시민이 동의했음을 뜻한다.

탐구력 기르기

52~53쪽

01 모범답안 영양분을 포함하고 있는 떡잎 부분만 청람색으로 바뀐다. 배 부분은 변화가 없다.

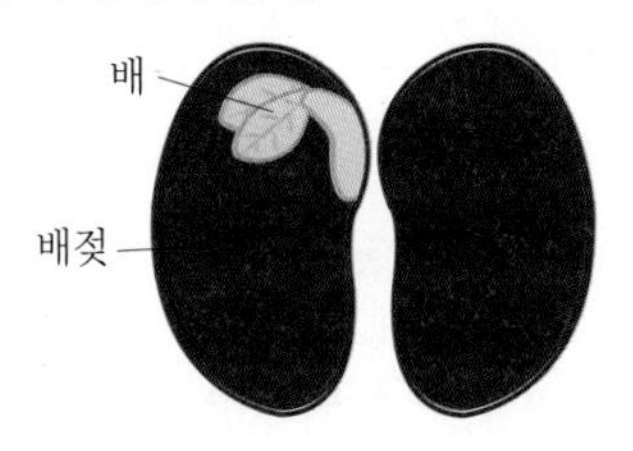

해설 오래 담가둘수록 색이 진해진다. 강낭콩씨 대신 녹말이 많이 포함되어 있는 옥수수씨를 사용하면 배젖 부분이 청람색으로 변하는 것을 쉽게 관찰할 수 있다. 배젖과 떡잎은 배가 자라는 데 양분이 된다. 콩과 식물의 경우 떡잎에 양분을 저장한다.

02 모범답안

① 접시 A : 강낭콩씨에 싹이 텄다.
② 접시 B : 강낭콩씨에 싹이 트지 않았다.
③ 접시 C : 강낭콩씨에 싹이 텄다.
④ 접시 D : 배가 싹이 트지 않았다.

해설 강낭콩의 배가 싹이 트기 위해서는 물과 떡잎의 영양분이 필요하다. 접시 D는 떡잎을 제거했으므로 배가 자라지 않는다.

03 모범답안

① 강낭콩씨가 싹이 트기 위해서는 물이 필요하다. .

② 햇빛은 강낭콩씨가 싹이 트는 데 영향을 미치지 않는다.
③ 강낭콩씨가 싹이 트기 위해서는 떡잎이 필요하다.

해설 접시 A와 B를 비교하면 강낭콩씨가 싹이 트는 데 물이 필요함을 알 수 있고, 접시 A와 C를 비교하면 햇빛은 강낭콩씨가 싹이 트는 데 영향을 미치지 않음을 알 수 있다. 접시 A와 D를 비교하면 강낭콩씨가 싹이 트는 데 떡잎이 필요함을 알 수 있다. 씨가 싹이 틀 때는 떡잎이나 배젖의 영양분을 사용하므로 햇빛은 필요하지 않다. 그러나 본잎이 나오면 광합성을 통해 양분을 만들어야하므로 햇빛이 꼭 필요하다.

04 **모범답안**

- 인간의 생명을 지키는 식량의 가장 기본적인 것이 종자이기 때문이다.
- 식량을 다른 나라에 의지하지 않기 위해서이다. 식량 자급률을 높이기 위해서이다.
- 안정성이 검증되지 않은 유전자 조작 종자를 사용하지 않기 위해서이다.
- 종자를 구입하는 데 드는 비용을 줄일 수 있기 때문이다.
- 매년 종자를 구입하는 비용 때문에 농산물의 가격이 높아지는 것을 막기 위해서이다.
- 새로운 종자를 개발하여 수출할 수 있기 때문이다.

해설 원래 농작불에서 얻은 열매나 씨앗은 다음해에 다시 심을 수 있다. 그러나 종자 기업들은 농민들이 해마다 종자를 사도록 만들기 위해 종자의 유전자를 조작하여 다시 싹을 틔울 수 없게 만들었다. 이런 종자를 터미네이터 종자라고 하는데, 씨앗이 여물기 전에 스스로 독소를 배출해 배아가 파괴되도록 만든 것이다. 이런 터미네이터 종자는 다음해에 절대로 사용할 수가 없다. 국내 유명 종자 회사들이 IMF 외환위기 때 외국 종자 기업에 배각 되어, 우리나라는 선통 송자들을 잃어버린 나라가 되었다. 현재 우리 농산물의 약 70% 는 외국 종자에서 나오고 있다. 현재 우리나라는 제주도 감귤, 김, 미역, 다시마, 청양고추 등을 비롯하여 많은 농작물의 종자를 구입하기 위해 매년 엄청난 비용을 해외에 지급하고 있다.

Ⅲ 물체의 무게

05 용수철로 무게 재기

개념 기르기 60~61쪽

01 ⑤	02 ③	03 ③	04 ②, ③	05 ③
06 ①	07 ⑤	08 ①, ③	09 ④	10 ④

01 가정용 저울은 먼저 평평한 곳에 놓은 다음, 바늘이 영점을 가리키는지 확인한다. 그 후 접시 위에 물체를 올려 놓고 바늘이 가리키는 눈금을 읽어 무게를 확인한다. 저울의 접시 위에 물체를 올려 놓으면 저울의 접시와 연결된 막대가 밑으로 내려가면서 저울의 윗부분과 막대 사이에 연결되어 있는 용수철이 늘어나면서 무게를 측정한다.

02 최대 눈금이 1 kg이라는 뜻은 1 kg보다 더 무거운 물체의 무게를 측정할 수 없다는 뜻이다. 최대 눈금이 큰 저울은 무거운 물체의 무게를 측정가능하고 최대 눈금이 작은 저울은 무게를 세밀하게 측정할 수 있다.

03 ① 누른 기보드가 다시 위로 올라오는 것은 글사바나 용수철이 들어 있기 때문이다.
② 침대에 누웠다 일어나면 다시 원래대로 모양이 돌아오는 것은 용수철 때문이다.
④ 장난감과 연결된 용수철이 압축되어 있다가 뚜껑이 열리면서 튀어나오게 된다.
⑤ 스테이플러에는 철심을 계속 밀어주는 용수철과 스테이플러로 눌렀다가 원래의 위치로 돌아기는 용수철이 함께 사용된다.

04 물체의 무게가 무거울수록 물체의 개수가 많을수록 용수철이 늘어나는 길이는 길어진다.

05 추의 갯수가 늘어날 때마다 용수철의 길이가 2 cm씩 늘어나므로 추를 7개 달면 용수철이 늘어난 길이는 14 cm이다. 처음 용수철의 길이가 10 cm이므로 10 cm+14 cm=24 cm가 된다.

06 무게의 단위는 N(뉴턴)을 사용한다. 무게는 지구가 물체를

끌어당기는 힘의 크기를 말하며 1 kg은 9.8 N과 같다. 모든 물체는 서로 끌어당기는 힘을 가지고 있는데 이것을 만유인력이라고 한다. 물체와 지구 사이에도 만유인력이 작용하는데 지구가 워낙 크기 때문에 물체가 끌어당겨지게 된다. 따라서 무게도 만유인력의 한 종류로 볼 수 있다.

07 지구에서 중력(지구가 끌어당기는 힘)은 지구 중심 방향으로 작용하기 때문에 지구 상의 어느 곳이던지 물체는 바닥으로 떨어진다. 높은 산에 올라갈수록 중력의 크기가 작아지는 것은 지구 중심에서 멀어지기 때문이다. 중력은 지구의 중심과 가까울수록 세진다.

08 ① 눈금을 읽을 때는 표시자에 눈높이를 맞춘 후 읽어야 한다.
③ 지나치게 무게가 무거우면 늘어난 용수철이 제자리로 돌아오지 않는다.

09 900 g과 1000 g 눈금 사이에 5칸이 있으므로 한 칸의 눈금은 20 g이다. 따라서 최소 측정 가능 무게는 한 칸의 눈금인 20 g이다.

10 ① 고리는 용수철저울을 스탠드에 걸거나 물체를 매달 때 사용한다.
⑤ 영점 조절 나사는 용수철저울에 아무것도 매달지 않은 상태에서 나사를 돌려서 저울의 눈금을 0으로 조정한다.

서술형으로 다지기 62~63쪽

01 모범답안
- 질량 : 지구, 달, 목성에서 모두 같은 60 kg이다. 질량은 고유한 값으로 변하지 않는 물질의 양이기 때문이다.
- 몸무게 : 몸무게는 중력의 크기에 따라 달라지기 때문에 중력의 크기 순에 따라 목성>지구>달 순으로 크다.

해설 목성은 지구의 중력의 2.3배이므로 목성에서의 몸무게는 1380 N이고, 달은 지구 중력의 1/6이므로 달에서의 몸무게는 100 N이 된다. 하지만 질량은 물체를 이루는 물질의 양을 나타내므로 어느 곳에서도 그 값이 변하지 않는다.

02 모범답안 60 g. 용수철 한 개는 10 g당 2 cm가 늘어나므로 6 cm가 늘어난 것은 30 g의 추가 걸려있다는 것이다. 그런데 용수철을 두 개 사용했으므로 각각의 용수철에 30 g씩 무게가 걸려 있는 것과 같다. 각각의 용수철에 걸려있는 무게를 더하면 추의 무게는 30 g+30 g=60 g이 된다.

해설 용수철 2개를 나란하게 연결하였으므로 추의 무게가 용수철에 반씩 나누어 걸리게 된다. 따라서 용수철 2개가 각각 6 cm씩 늘어났으므로 30 g의 무게가 각각의 용수철에 나누어 걸려 있는 것이다. 그래서 추의 무게는 두 용수철에 나누어져 있는 무게를 더한 60 g이 된다.

03 모범답안 49.5 cm. 나란하게 연결된 용수철 두 개에 55 g의 추를 연결하면 A는 5 g당 2 cm가 늘어나고, B는 5 g당 2.5 cm가 늘어난다. 따라서 A는 22 cm 늘어나고, B는 27.5 cm 늘어난다. 두 용수철이 늘어난 길이를 합하면 49.5 cm 늘어난다.

해설 용수철 A와 B를 나란히 연결해도 늘어나는 길이는 추의 무게에 비례하여 늘어난다. 용수철 A는 10 g당 4 cm이므로 5 g당 2 cm, 용수철 B는 10 g당 5 cm이므로 5 g당 2.5 cm 늘어난다. 용수철을 일렬로 연결하면 추의 무게가 용수철 A, B에 똑같이 걸리게 된다.

04 모범답안 용수철저울, 다른 두 저울의 측정값은 200 g 정도로 비슷하지만 용수철 저울은 210 g으로 다른 저울과 측정값이 차이가 나기 때문이다.

해설 앉은뱅이 저울은 측정한 값이 조금씩 차이가 있지만 값을 잴 때 오차가 생길 수 있으므로 저울이 잘못된 것은 아니다. 용수철저울을 바로 잡으려면 무게를 재기 전에 눈금이나 숫자가 0인지 확인하고, 이상이 있을 때는 영점 조절을 해서 바로 잡으면 된다.

융합사고력 키우기 64~65쪽

01 모범답안 우주에는 중력이 없기 때문에 지구의 중력에 맞게 개발된 저울이 작동하지 않는다.

해설 지구의 중력에 의한 영향이 없는 상태, 즉 사람이 용수철저울 위에 올라가도 바늘이 돌아가지 않는 무게가 0인 상태를 말한다. 태양이나 지구와 같이 인력(중력)이 작용하는 물체에서 멀리 떨어져 있으면 무중력 상태가 된다.

02 모범답안
- 물체를 공중에 놓으면 그대로 떠 있다.

- 컵에 든 음료를 그냥 마실 수 없고 빨대를 이용해 마셔야 한다.
- 물을 무중력 공간에 뿌리면 구 모양으로 둥둥 떠 있다.
- 무중력 상태에서는 사람의 내장이 위로 올라붙어 사람의 허리 부분이 가늘어진다.
- 중력의 영향을 더 이상 받지 않는 혈액이 머리 쪽으로 몰려 우주 비행사의 얼굴이 붓는다.
- 우주 비행사의 키가 3~4 cm 정도 더 커진다.

해설 무중력 상태에서는 중력이 존재하는 지구와는 달리 물체를 아래로 당기는 힘이 없기 때문에 지구에서 경험할 수 없는 다양한 현상을 경험할 수 있다.

03 모범답안 우주인이 저울에 몸을 올리면 저울이 일정한 힘으로 사람을 밀어내면서 우주인이 튕겨나가는 속도를 측정하고 이 값으로 무게를 잰다.

해설 우주인이 T자 모양의 발판에 올라서면 저울이 미리 정해진 힘으로 살짝 튕겨낸다. 이때 우주인이 튕겨나가는 가속도가 측정이 되고 이 식을 힘(F)=무게(m)×가속도(a) 식에 넣으면 우주인의 무게가 측정된다. 하지만 가속도를 측정할 때 오차가 발생하기 때문에 정밀도가 떨어진다.

06 수평 잡기로 무게 재기

개념 다지기 70~71쪽

01 ④	02 ⑤	03 ⑤	04 ③	05 ①
06 ①	07 ⑤	08 ②, ④	09 ②	10 ③

01 꼬치 막대가 왼쪽으로 더 기울어졌으므로 초록색 고무찰흙이 파란색 고무찰흙보다 더 무겁다. 따라서 빵 끈을 무거운 초록색 고무찰흙에 가깝게하여 수평을 잡아야 한다.

02 (가)에 연결된 꼬치 막대는 오른쪽으로 기울어져 있는 것으로 보아 오른쪽이 더 무거운 것을 알 수 있다. 따라서 빵 끈 (가)를 오른쪽으로 움직여 수평을 잡는다. (나)에 연결된 꼬치 막대가 오른쪽으로 기울어져 있으므로 파란색 고무찰흙이 더 무거운 것을 알 수 있다. 따라서 빵 끈 (나)를 오른쪽으로 움직여야 한다.

03 클립 한 개로 수평을 잡으려면 빨간색 쪽 클립 두 개의 위치보다 받침점으로부터 2배 더 멀리 걸어야 한다. 물체의 무게가 반대쪽 물체의 1/2인 경우 받침점으로부터의 거리가 2배가 될 때 수평을 잡을 수 있다.

04 수평 잡기의 원리는 왼쪽(클립의 개수×구멍의 위치)=오른쪽(클립의 개수×구멍의 위치)이다. 따라서 왼쪽 9×2=오른쪽 구멍의 위치×3이 된다. 오른쪽 구멍의 위치는 6이다.

05 ㉠ 무게가 다른 물체의 수평을 잡는 방법은 무거운 물체를 받침점에 더 가까이 놓거나 가벼운 물체를 받침점에서 더 멀리 놓는 것이다.
㉢ 두 물체를 받침점으로부터 같은 거리에 놓는 것은 두 물체의 무게가 같은 경우에 수평을 잡는 방법이다.

06 윗접시저울의 양 접시 끝에 있는 영점 조절 나사를 돌려 바늘이 중심에 오도록 영점을 조절한다. 한쪽 접시가 아래로 내려가면 영점 조절 나사가 받침점에 가까워지도록 나사를 돌리거나 반대쪽 접시의 영점 조절 나사를 받침점과 멀어지도록 나사를 돌린다.

07 물체의 무게를 어림하였을 때 비슷하다고 생각하는 분동을 가장 먼저 올려야 무게를 재는 시간을 줄일 수 있다.

08 ① 분동은 여러 가지 종류가 있다.
② 원 기둥 모양, 오각형 모양 등 여러 가지 모양으로 되어 있다.
③ 분동은 금속(철) 등으로 되어 있다.
④ 손으로 분동을 집으면 이물질이 묻거나, 땀 등의 영향으로 분동의 질량이 달라질 수 있기 때문에 반드시 집게를 사용한다.
⑤ 분동을 물로 씻으면 녹이 슬 수 있으므로 물로 씻지 않는다.

09 용수철의 성질을 이용한 저울은 판지시 저울, 체중계, 용수철저울, 매다는 저울, 가정용 저울 등이고, 수평 잡기를 이용한 저울은 판수동 저울, 대저울, 윗접시저울, 양팔저울 등이 있다.

10 평평한 곳에 놓은 저울의 영점을 조절한 다음 물체를 올려놓고, 분동을 올려놓아 수평을 잡은 후에 분동의 무게를 모두

합해 물체의 무게를 구한다.

서술형으로 다지기 72~73쪽

01 모범답안 오른쪽 4번 위치.
나무도막의 무게를 1이라고 했을 때, 수평 잡기의 원리에 의해 왼쪽은 $(1\times3)+(1\times1)=4$이다. 따라서 수평을 유지하려면 오른쪽은 $1\times$(왼쪽에 놓는 위치)$=4$가 되어야 하므로 나무도막을 올려놓는 위치는 오른쪽 4번 위치가 된다.
해설 받침점을 기준으로 수평 잡기의 원리를 이용하여 구하면 된다. 받침점을 기준으로 물체의 무게와 받침점부터 물체까지의 거리를 곱한 값이 왼쪽과 오른쪽이 같으면 수평을 이루게 된다. 문제에서 받침점을 기준으로 왼쪽에 있는 물체와 받침점부터 물체까지의 거리를 곱한 값을 모두 합한 값과 오른쪽에 물체와 받침점부터 물체까지의 거리를 곱한 값이 같으면 수평을 이룬다.

02 모범답안 임신을 하면 몸무게의 중심이 앞으로 쏠리게 되므로 몸을 뒤로 젖혀야 한다. 허리 뒤에 손을 올리면 무게 중심이 뒤로 오면서 안정적인 자세가 되기 때문이다.
해설 임신을 하거나 살이 쪄서 배가 많이 나오면 몸무게의 중심이 앞쪽으로 쏠리게 된다. 몸무게의 중심이 앞으로 쏠리면 앞으로 잘 넘어질 수 있어서 위험할 수 있다. 그래서 몸무게의 중심을 뒤로 이동시켜서 수평을 맞춰야 하는데 손을 뒤로 얹으면 무게 중심이 뒤쪽으로 이동하여 안정한 자세를 유지할 수 있다.

03 모범답안
① 수평 잡기 판의 받침점에서 같은 거리만큼 떨어뜨린 다음 한쪽에는 초콜릿을 놓고 한쪽에는 사탕을 하나씩 추가하면서 수평이 되도록 한다. 수평이 된 후에 올려진 초콜릿의 무게를 사탕의 수로 나눈다.
② 초콜릿 1개와 사탕 1개가 수평 잡기 판에서 수평이 되도록 하고 그 거리의 비에 따라 사탕 1개의 무게를 구한다.
③ 사탕 1개와 수평이 되게 초콜릿을 일정한 크기로 쪼갠다. 사탕 1개와 수평을 이룬 초콜릿 조각이 원래 초콜릿에서 몇 등분되었는지 확인하여 사탕 1개의 무게를 구한다.

해설 수평 잡기의 원리를 이용하여 물체의 무게를 측정할 있다. 수평이 정확하게 맞지 않으면 사탕을 일정한 크기로 쪼개거나, 초콜릿을 일정한 크기로 잘라 수평을 맞춘 다음 무게를 측정한다.

04 모범답안
① 빨간색 돌, 주황색 돌, 노란색 돌=초록색 돌, 파란색 돌, 남색 돌일 때, 보라색 돌, 흰색 돌, 검은색 돌 중 하나가 가벼운 것이다. 그러므로 흰색 돌과 검은색 돌의 무게를 잰다. 흰색 돌=검은색 돌이면, 보라색 돌이 가볍고, 흰색 돌<검은색 돌일 때 흰색 돌이 가볍고, 흰색 돌>검은색 돌일 때 검은색 돌이 가볍다.
② 빨간색 돌, 주황색 돌, 노란색 돌<초록색 돌, 파란색 돌, 남색 돌일 때, 빨간색 돌, 주황색 돌, 노란색 돌 중 하나가 가벼운 것이다. 그러므로 빨간색 돌과 주황색 돌의 무게를 잰다. 빨간색 돌=주황색 돌이면, 노란색 돌이 가볍고, 빨간색 돌<주황색 돌일 때 빨간색 돌이 가볍고, 빨간색 돌>주황색 돌일 때 주황색 돌이 가볍다.
③ 빨간색 돌, 주황색 돌, 노란색 돌>초록색 돌, 파란색 돌, 남색 돌일 때, 초록색 돌, 파란색 돌, 남색 돌 중 하나가 가벼운 것이다. 그러므로 초록색 돌과 파란색 돌의 무게를 잰다. 초록색 돌=파란색 돌이면, 남색 돌이 가볍고, 초록색 돌<파란색 돌일 때 초록색 돌이 가볍고, 초록색 돌>파란색 돌일 때 파란색 돌이 가볍다.

융합사고력 키우기 74~75쪽

01 모범답안 영점을 맞춘다.
해설 용수철저울은 물체를 매달지 않은 상태에서 저울의 눈금이 0을 카리키도록 영점 조절 나사를 돌려 조절한다. 윗접시저울은 편평하고 흔들림이 없는 곳에 놓고 양끝의 영점 조절 나사를 돌려 눈금이 0에 오도록 조절한다.

02 모범답안 체중에 맞게 눈금이 변하도록 하기 위해 체중을 지렛대의 원리로 작은 힘으로 줄이고, 그 힘이 수평으로 놓인 용수철에 작용할 수 있도록 판과 고리를 이용하고, 용수철이 늘어난 만큼 표시판의 눈금이 회전하게 하기 위해 피니언과 랙을 사용했다. 이와 같이 복잡하게 만든 이유는 체중계를 작고, 사용이 편리하게 하기 위한 것이다.

해설 용수철의 탄성력을 이용한 저울은 용수철이 잡아당기는 힘의 크기에 비례하여 늘어난다는 사실을 이용하여 만든 것으로 물체에 작용하는 중력인 무게를 측정하는 것이다. 용수철을 이용한 저울은 정밀도는 떨어지나 사용이 간편하므로 가정집의 체중저울이나 식당의 음식 무게를 재는 용도 등으로 널리 사용되고 있다.

03 모범답안 정확한 무게에 대한 기준이 없어 지금보다 분쟁과 마찰이 훨씬 많았을 것이다. 또는 정확하게 질량을 잴 수 없어 대략적으로 거래를 해서 좀 더 여유 있는 세상이 될 수도 있을 것이다.

해설 양팔저울은 지렛대의 중앙을 받침점으로 하고, 양쪽의 똑같은 위치에 접시를 매달거나 올려놓은 것이다. 한쪽 접시에는 측정하고자 하는 물체를, 다른 한쪽에는 분동을 올려놓아 지렛대가 수평을 이루었을 때의 분동의 질량이 바로 물체의 질량이 되는 것이다. 그러나 양팔저울은 무겁거나 부피가 큰 물체의 질량을 측정하기에는 한계가 있었다. 이런 점을 보완한 저울이 바로 대저울이다. 대저울은 받침점에 가까운 곳에 측정하고자 하는 물체를 걸고 반대쪽에는 작은 분동이나 추를 걸어 움직여서 지렛대가 평형을 이루는 지점을 찾는 방법으로 물체의 질량을 측정한다. 받침점으로부터 평형을 이루는 지점을 알면 지레의 원리를 이용하여 물체의 무게를 간단히 계산할 수 있다. 즉, 물체의 질량×받침점과 물체 사이의 거리=분동의 질량×받침점과 분동 사이의 거리이다. 이렇게 대저울을 이용하면 작은 양의 분동이나 추로도 무거운 물체의 질량을 쉽게 측정할 수 있다.

탐구력 기르기 76~77쪽

01 예시답안

100원 동전의 개수(개)	늘어난 고무줄의 길이 (cm)		
	노란색 고무줄	검정색 고무줄	흰색 고무줄
0	0	0	0
4	0.5	0.3	1
8	1	0.5	2
12	1.3	0.6	3
16	2.0	0.7	4

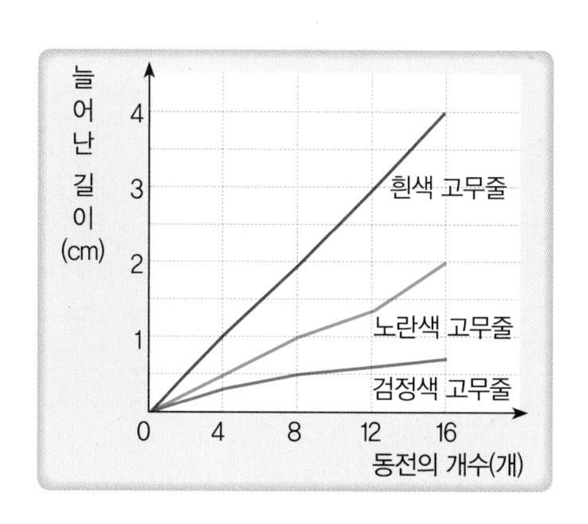

02 모범답안 흰색 고무줄, 흰색 고무줄은 무게가 증가할수록 일정하게 많이 늘어나기 때문이다.

해설 고무줄은 무게에 비례하여 일정하게 늘어나며, 고무줄의 종류에 따라 늘어나는 정도가 다르다. 가벼운 물체를 측정하는 저울은 일정하게 많이 늘어나는 고무줄을 사용하고, 무거운 물체를 측정하는 저울은 일정하게 조금씩 늘어나는 고무줄을 사용한다. 그러나 고무줄의 탄성 한계를 넘은 매우 무거운 물체를 매달면 고무줄이 늘어났다가 다시 되돌아오지 않거나 끊어진다.

03 예시답안 노란색 고무줄 : 2.5 cm, 검정색 고무줄 : 0.8 cm

해설 노란색 고무줄은 동전 12개를 넣었을 때를 빼고는 동전 4개당 0.5 cm가 일정하게 늘어나므로 동전 4개당 0.5 cm씩 늘어난다고 볼 수 있다. 검정색 고무줄은 동전 8개를 넣은 이후 동전 4개당 0.1 cm씩 일정하게 늘어나므로 동전 4개당 0.1 cm씩 늘어난다고 볼 수 있다.

04 예시답안 고무줄을 나란히 연결하면 무게가 나누어지므로 고무줄의 탄성 한계를 넘는 무거운 물체의 무게도 측정할 수 있다.

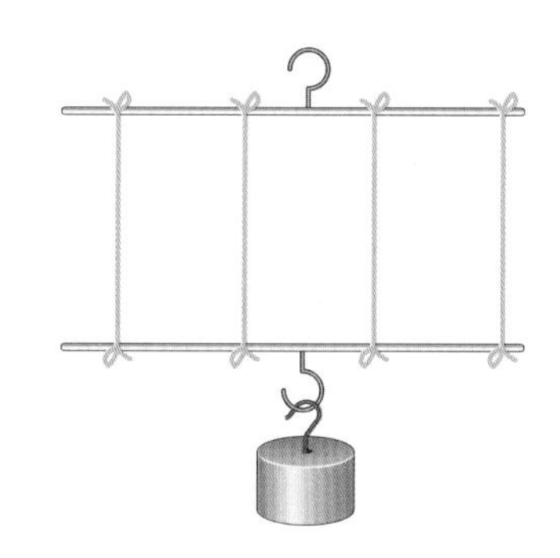

Ⅳ 혼합물의 분리

07 생활 속의 혼합물

개념 기르기 84~85쪽

01 ④ 02 ③ 03 ④ 04 ② 05 ②
06 ④ 07 ① 08 ① 09 ③

01 ㉠ 혼합물은 두 가지 이상의 물질이 서로 섞여 있는 것이다.
㉡ 김밥, 미숫가루, 꿀물, 오곡밥, 나박김치, 재활용품이 섞여 있는 쓰레기, 바닷물 등은 혼합물이다.
㉢ 여러 가지 재료가 서로 섞여 있어도 재료의 모양과 색깔, 맛은 변하지 않는다.

02 ① 김밥-밥, 김, 단무지, 달걀, 당근, 쇠고기, 시금치 등
② 오곡밥-콩, 팥, 좁쌀, 수수, 찹쌀 등
④ 나박김치-배추, 무, 물 등
⑤ 꿀물-꿀, 물

03 여러 가지 재료를 서로 섞어 간식을 만들어도 각 재료의 모양, 색깔, 맛 등의 성질은 처음과 같은 성질 그대로 유지된다. 여러 가지 물질을 섞어 혼합물을 만들어도 각 물질의 성질은 변하지 않는다.

04 여러 가지 재료를 섞어 만든 간식은 두 가지 이상의 물질을 섞어 만든 혼합물로, 각 재료의 모양과 맛은 거의 변하지 않기 때문에 어떤 재료가 섞여 있는지 알 수 있다.

05 여러 가지 기체가 섞여 있는 공기에는 먼지 등이 섞여 있다. 에어컨 안의 공기 여과기는 공기보다 크기가 큰 먼지를 분리하여 깨끗한 공기를 마실 수 있게 해준다.

06 ① 분리 배출한 물품을 재활용할 수 있어서 자원을 절약할 수 있다.
② 플라스틱처럼 잘 썩지 않는 쓰레기를 분리하여 환경 오염을 줄일 수 있다.
③ 쓰레기를 재활용할 수 있기 때문에 쓰레기의 양을 줄일 수 있다.
⑤ 쓰레기를 분리 배출하면 비용을 들여서 다시 쓰레기 분리 작업을 거치지 않아도 된다.

07 자연에 존재하는 구리는 대부분 다른 암석과 섞여 있으므로, 이 구리 광석에서 구리를 분리하여 순수한 구리를 얻는다. 분리한 순수한 구리는 전기와 열을 매우 잘 흐르게 하고, 가는 선으로 늘릴 수 있고, 두드려서 얇은 판으로 만들 수 있어서 전선, 송수관 등을 만드는 데 사용된다.

08 ② 색깔이 쉽게 변하지 않는다.
③ 그릇의 모양이 쉽게 변하지 않는다.
④ 구리와 주석을 섞어 만든 그릇이다.
⑤ 구리에 주석을 일정한 비율로 섞어 만든 물질은 새로운 성질은 가진다.

09 ① 청동-구리에 주석을 섞은 합금으로 화살촉, 칼, 조각품 등으로 사용한다.
④ 백동-구리에 니켈을 섞은 합금으로 동전을 만들 때 사용한다.

서술형으로 다지기 86~87쪽

01 모범답안 두 가지 이상의 물질이 서로 섞여 있으므로 혼합물이다. 떡볶이는 떡, 어묵, 파, 고추장, 고춧가루, 양파, 마늘, 달걀 등으로 이루어져 있다.
해설 두 가지 이상의 물질이 서로 섞여 있는 것을 혼합물이라고 한다. 혼합물에 섞여 있는 물질의 성질은 섞이기 전과 같기 때문에 재료의 모양, 색깔, 맛이 그대로 유지된다. 고추장 떡볶이는 한국 전쟁 직후에 개발된 음식으로, 이전에는 궁중에서 간장 양념에 재어둔 쇠고기를 떡과 같이 볶아서 만들어 먹었다. 지금의 고추장 떡볶이는 마복림씨가 서울 신당동 공터에서 길거리식당 음식으로 팔던 것에서 시작되었다.

02 모범답안
- 나박 김치 재료 : 배추, 무, 물, 꿀, 파 등
- 만들기 전과 후의 재료 성질 변화 : 나박 김치를 만들기 전과 후의 재료의 성질은 같다.

해설 혼합물에 들어 있는 여러 가지 재료는 서로 섞여도 재료의 모양과 색깔, 맛 등은 변하지 않는다. 나박 김치는 김치의 한 종류로, 무를 얄팍하고 네모지게 썰어 절인 다음, 고

추, 파, 마늘, 미나리 등을 넣고 국물을 부어 담근 것이다.

03 모범답안

• 대부분의 철은 산소와 반응한 산화 철로 존재하지만 구리는 순수한 구리로 존재하였기 때문에 구리를 사용하는 것이 더 쉬웠다.
• 철을 녹이려면 1,540 ℃로 가열해야 하지만, 구리는 1,083 ℃로만 가열하면 녹일 수 있었기 때문에 구리를 분리하는 것이 더 쉬웠다.

해설 연한 구리에 아연이나 주석 같은 다른 금속을 섞어 주면 더욱 단단해져서, 무기나 도구의 재료로 사용되었다. 산화 철에서 산소를 떼어내면 순수한 철이 얻어지는데, 이 과정에는 탄소가 꼭 필요하다. 오늘날 제철소에서는 탄소로 된 코크스와 철광석을 높은 온도로 가열해서 순수한 철을 얻는다. 과거에는 이 기술을 알지 못해서 순수한 철을 얻기 어려웠다. 청동기는 녹는점이 낮기 때문에 철기 이전에 사용되었던 도구이다. 철기 시대는 보다 높은 온도로 가열할 수 있는 기술이 개발되면서 시작되었다. 철기 시대에의 가장 좋은 도구와 무기는 강철로 만들어졌다. 강철 무기와 도구는 청동기와 거의 같은 무게지만, 더욱 강했다. 그러나 강철은 생산하기가 쉽지 않았다.

04 모범답안

• 삽으로 뒤척여 주면서 물의 증발을 촉진시킬 수 있다.
• 자연 상태에서 완전히 마르는 데 시간이 많이 걸리므로 덜 마른 상태에서 거둬들이는 것이 효율적이다.
• 완전히 마르면 거둬들이는 작업을 할 때 마찰이 커져 오히려 불편하다.
• 길쭉한 상태에서 거둬들이는 것이 불순물을 제거하고 소금의 순도를 높이는 효과가 있다.

해설 염전의 물이 다 마르지 않은 상태에서 소금을 거둬들이는 것이 증발에 도움을 줄 수 있음을 또는 완전히 마른 후 소금을 거둬들일 때 일어날 수 있는 어려움을 추측하여 답을 작성한다.

융합사고력 키우기 88~89쪽

01 모범답안 초미세먼지

해설 미세먼지는 지름이 10 μm(마이크로미터) 크기이고, 초미세먼지는 지름이 2.5 μm 크기로 매우 작다.

02 모범답안 미세먼지와 초미세먼지는 알갱이 크기가 작아 코와 기관지에서 걸러지지 않으므로 폐로 직접 침투하여 각종 염증을 일으키기 때문이다.

해설 코와 기관지는 공기에 포함된 오염물질을 걸러내어 제거를 하지만, 알갱이 크기가 작으면 코와 기관지에서 걸러지지 않는다.

03 모범답안

• 미세먼지를 걸러낼 수 있는 특수필터
• 마스크가 얼굴에 밀착되어 공기가 들어올 수 없는 구조
• 초미세먼지를 제거할 수 있는 정전필터(정전기로 초미세먼지를 제거)

해설 특수마스크인 미세먼지 마스크는 일반마스크보다 더 작은 입자를 걸러내는 특수필터가 들어 있고, 특수필터도 통과하는 초미세먼지를 제거할 수 있는 정전필터가 있다. 정전필터는 정전기를 이용하여 먼지를 흡착하여 제거한다. 마스크와 얼굴 사이 틈으로 미세먼지가 들어올 수 있으므로, 특수마스크는 틈이 생기지 않는 구조로 되어 있다.

08 혼합물을 분리하는 여러 가지 방법

개념 기르기 94~95쪽

01 ③	02 ③, ④	03 ①, ②	04 ③, ⑤	05 ④
06 ③	07 ③, ④	08 ④	09 ④	10 ⑤

01 혼합물을 체에 넣고 흔들면 체의 눈의 크기보다 큰 알갱이는 체에 남고, 체의 눈의 크기보다 작은 알갱이는 체를 빠져나가 분리된다. 따라서 체를 사용하여 분리할 때 이용되는 성질은 알갱이의 크기이다.

02 콩, 팥, 좁쌀의 혼합물을 분리하기 위해서는 눈의 크기가 콩보다 작고 팥보다 큰 체와 팥보다 작고 좁쌀보다 큰 체가 필요하다. 알갱이의 크기가 다른 곡물이 세 종류이므로 각각 분리하려면 두 개의 체가 필요하다.

정답 및 해설

03 쓰레기와 모래를 한꺼번에 들어올리면 크기가 작은 모래는 체 아래로 빠져나가고 크기가 큰 쓰레기만 체에 남는다.
③, ④ 체의 눈의 크기는 모래보다 크고 쓰레기보다 작아야 한다.

04 철이 자석에 붙는 성질을 이용하여 쇠 구슬을 분리하고, 알갱이의 크기가 다른 점을 이용하여 체로 쌀과 플라스틱 구슬을 분리한다.

05 생활 속에서 자석을 이용하여 분리하는 모습에는 폐건전지를 잘게 부순 후 철 조각을 분리하여 재활용하는 것도 있다. 구리 광석에 섞여 있는 순수한 구리를 얻을 때는 구리가 자석에 붙지 않아 자석이 사용되지 않는다.

06 ㉠ 물에 녹는 소금은 거름종이를 통과하고, 물에 녹지 않는 후추는 거름종이에 남는다.
㉡ 거름은 물에 녹는 물질과 물에 녹지 않는 물질을 분리하는 방법이다.
㉢ 거름 장치에 걸러진 물질을 가열하면, 물이 줄어들고 하얀색 소금이 생겨 사방으로 튄다. 이렇게 물이 수증기로 변하는 현상을 증발이라고 한다.

07 거름은 물에 녹는 물질과 녹지 않는 물질을 분리하는 방법으로 거름종이, 거름망, 헝겊, 체 등을 이용하여 혼합물을 분리한다.
③, ④는 증발로 액체가 수증기로 변하여 공기 중으로 날아가는 현상이다. 증발은 열, 햇빛, 바람 등에 의하여 액체가 증발하는 성질을 이용하여 혼합물을 분리한다.

08 ① 비커와 시험관에 든 물과 식용유는 스포이트를 이용하여 분리하는 것이 편리하다.
② 페트리 접시에 섞인 물과 식용유는 흡착포를 이용하는 것이 편리하다.
③ 흡착포로 분리한 식용유는 재사용하기 어렵고, 스포이트로 분리한 식용유는 재사용할 수 있다.
⑤ 흡착포와 스포이트는 상황에 따라 편리함이 달라진다.

09 끓인 콩물 거르기에서는 체와 헝겊을 이용하고, 두부 틀에 콩물 붓기에서는 헝겊을 깔고 그 위에 덩어리가 생긴 콩물을 붓는다. 따라서 모두 알갱이의 크기 차이를 이용한 분리 방법이다.(거름)

10 걸러낸 콩물에 간수를 넣으면 단백질이 엉겨서 하얀색 덩어리가 생긴다. 이 하얀색 덩어리가 굳어져 만들어진 것이 두부이다.

서술형으로 다지기

96~97쪽

01 모범답안 그물코가 큰 그물로 물고기를 잡을 때 크기가 작은 어린 물고기가 잡히지 않고 그물코를 잘 빠져나가게 하기 위해서이다.
해설 다 자란 물고기만 그물코에 걸리고, 어린 물고기는 빠져나가게 하여 해양 생태계를 보호한다. 그물코의 규격 제한은 어업별로 다르다. 연안에서 물고기를 잡을 때는 25 mm 이하의 그물코를 사용해서는 안되고 고등어나 전갱이를 주로 잡는 가까운 바다의 그물코는 30 mm 이하로 제한하고 있다. 삼치의 경우는 100 mm 이하, 대게는 150 mm 이하, 꽃게는 65 mm 이하 등 수산 자원을 보호하기 위해 그물코의 크기를 제한하고 있다.

02 모범답안 2개, 종이컵에 구멍을 많이 뚫고 분리할 때 종이컵을 흔들어 준다.
해설 하나의 종이컵은 좁쌀보다는 크고 팥보다는 작은 구멍 크기로 뚫어야 하고, 다른 하나는 콩보다 작고 팥보다 큰 구멍 크기로 뚫어야 한다. 이렇게 알갱이의 크기 차이를 이용하여 2개의 종이컵을 이용하여 분리한다. 구멍이 많을수록 더 많은 양의 알갱이가 빨리 빠져나오므로 빠른 시간 안에 분리할 수 있고, 흔들어주면 작은 알갱이가 더 잘 밀려 내려오므로 더 빨리 분리할 수 있다.

03 모범답안 기름이 새면 먼저 기름막이를 설치하여 넓게 퍼지는 것을 막고, 흡착포 등을 이용하여 바닷물 위에 뜬 기름을 제거한다.
해설 기름 유출 사고를 처리하는 것은 매우 어렵다. 기름의 종류, 바닷물의 온도, 해안선의 종류 등에 따라 처리하는 방법이 달라진다. 미생물을 이용하여 기름을 분해시키거나 바람이 약하게 불 때는 화재를 일으켜 제거하기도 하지만, 이는 대기 오염을 불러 일으킬 수 있다. 또한 기름을 응고시켜 고무와 같은 고체 물질로 바꾸는 방법도 있다. 하지만 완벽

하게 제거하는 것은 불가능하다. 기름이 유출되는 것을 미리 방지하는 것이 가장 좋은 방법이며, 넓게 퍼지지 않게 조치를 취하고 상황에 따라 최대한 기름을 없애는 방법을 취해야 한다.

04 예시답안

● 실험 방법 1

① 눈의 크기가 0.5 cm인 체로 고르면 소금이 체를 빠져나가 분리할 수 있다.

② 눈의 크기가 1.5 cm인 체로 거르면 각설탕이 체를 빠져나가고, 좀약은 체 위에 남아 각설탕과 좀약이 분리된다.

● 실험 방법 2

① 눈의 크기가 0.5 cm인 체로 거르면 소금이 체를 빠져나가 분리할 수 있다.

② 각설탕과 좀약의 혼합물을 물에 녹이면 물에 녹지 않는 좀약을 분리할 수 있다.

③ 각설탕이 녹아 있는 물을 증발시키면 설탕이 남게 되어 분리할 수 있다.

해설 소금, 각설탕, 좀약의 알갱이의 크기 차이와 좀약이 물에 녹지 않는 성질을 이용하여 혼합물을 분리할 수 있다. 소금물은 끓이면 물은 다 증발하고 소금 결정만 남지만, 설탕물은 끓여도 설탕이 남지 않는다. 소금 결정은 800 ℃ 이상으로 온도가 올라가지 않으면 녹지 않는다. 그러나 설탕은 끓이는 과정에서 설탕 결정이 분해되어 버린다. 설탕은 50 ℃가 넘으면 용해도가 급격히 증가하여, 끓는 물에서는 대부분 용해되어 버린다. 그래서 끓는 물속에 있는 설탕은 결정으로 남아있지 못한다. 설탕을 160 ℃로 가열하면 고체라도 녹아 버리고, 190~200 ℃로 가열하면 쓴 맛을 내는 황갈색으로 캐러멜로 분해되어 버린다. 더 가열하면 일산화 탄소, 탄소, 일데하이드, 초산, 아세톤 등이 발생하며, 파르스름한 불꽃을 내며 타면서 광택을 띤 연소되지 않는 숯을 남긴다. 따라서 설탕물을 끓여서 설탕 결정을 만드는 것은 어렵다.

융합사고력 키우기 98~98쪽

01 모범답안 물에 녹지 않는다.

해설 캡사이신은 물에 녹지 않아 잘 흡수되지 않으므로 잘 흡수할 수 있는 고추 음료수가 개발됐다.

02 모범답안 기존 식품은 캡사이신의 크기가 크고 물에 녹지 않아서 체내 흡수율이 떨어지지만, 고추 음료수는 캡사이신의 크기를 아주 작게 만들고 식용 계면활성제로 감싸 물에 잘 녹게 하였으며 생체 고분자 물질로 된 껍질을 덧붙여 안정성을 높여 체내 흡수율을 높였다.

해설 지금까지 고추기름과 같은 고추를 이용한 식품 대부분은 고추를 분쇄한 뒤 캡사이신을 뽑아 만들었다. 이런 방식은 돈과 시간, 에너지가 많이 들 뿐만 아니라, 이렇게 만들어진 제품들은 물질의 크기가 크고 물에 녹지 않아서 체내 흡수율이 떨어졌다. 더군다나 열이나 빛, 산소에 노출되면 질이 떨어져 오래 보관할 수도 없었다.

03 모범답안

• 캡슐로 감싸면 물속에서 천천히 분해돼 약효를 오랫동안 유지할 수 있다.

• 캡슐은 위에서 위액에 의해 유용 성분이 파괴되지 않고 소장까지 이동할 수 있게 해준다.

• 유용 성분을 체내로 바로 흡수할 수 있는 형태로 캡슐 안에 넣어 체내 흡수율이 높다.

해설 미국 연구진은 소금이나 후추처럼 천연 영양 성분을 뿌려 먹을 수 있도록 포장하는 기술을 개발했다. 미국 퍼듀대 교수팀은 카레의 주성분인 '커큐민'과 포도에서 나오는 바이타민 '레스베라트롤' 등을 캡슐화하는 데 성공했다고 '음식과 기능'지에 발표했다. 연구진은 이들 성분을 긴 사슬 모양의 탄수화물인 '아이오타 카라기난'으로 감싸 캡슐로 만드는 데 성공했다. 특히 항암 효과가 있다고 알려진 커큐민을 캡슐로 만들었더니 물속에서 세 시간에 걸쳐 천천히 분해돼 약효를 오랫동안 유지할 수 있었다고 한다

탐구력 기르기 100~101쪽

01 모범답안 우유가 뭉쳐져서 덩어리(치즈)가 된다.

해설 우유에 식초나 레몬즙을 넣으면 우유 속의 단백질인 카세인이 산과 반응하여 응고한다. 응고한 덩어리를 커드(치즈 덩어리)라고 하고, 이때 응고하고 남은 액체를 유청이라고 한다.

02 모범답안

④ 걸쭉한 느낌이다.(크림) → ⑤ 덩어리(버터)가 생긴다.

해설 우유 생크림을 넣고 흔들면 우유 지방이 수분과 분리되어 뭉쳐져 버터가 된다. 생크림 양의 절반 정도 버터가 생긴다. 버터는 원심력을 이용하여 우유에서 지방만을 추출하여 크림을 만들고, 크림을 세게 휘저어 엉기게 한 후 응고시켜 만든다. 버터는 지방이 81 %이다. 중세시대에는 가죽 주머니에 우유를 넣어 흔들거나 내리쳐서 버터를 만들었다.

03 모범답안

① 식초가 우유 속의 단백질을 응고시켜 단백질을 분리한다.

② 면보자기 구멍보다 크기가 작은 물은 아래로 빠지고 면보자기 위에 크기가 큰 치즈만 남는다.

③ 세게 흔들면 우유 속에서 가벼운 지방만 뭉친다.

04 모범답안

- 자갈, 모래 : 알갱이의 크기 차이를 이용하여 크기가 큰 물질을 거른다.
- 숯 : 아주 작은 물질을 흡착하여 제거한다.

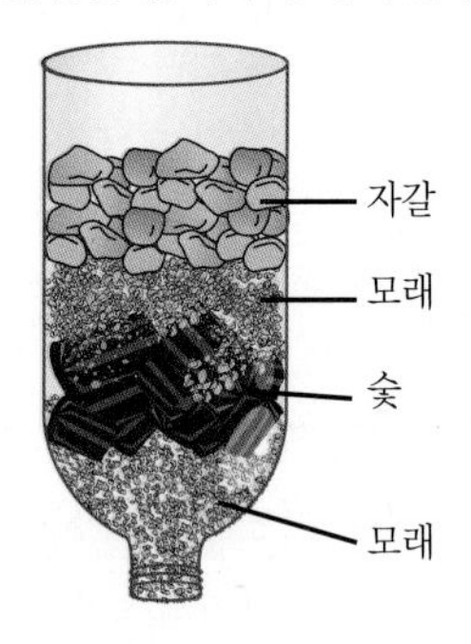

해설 숯 표면에는 아주 작은 구멍들이 많아 물질을 잘 흡착한다. 덩어리 숯을 사용하면 물이 빠른 속도로 빠져나가므로 흡착되는 정도가 작고, 가루일수록 흡착이 잘 되지만 시간이 오래 걸린다.

안쌤의

최상위 줄기과학

매스티안

펴낸곳 ㈜타임교육 **펴낸이** 이길호 **지은이** 안쌤 영재교육연구소
주소 서울특별시 강남구 봉은사로 442 **연락처** 1588－6066
팩토카페 http://cafe.naver.com/factos
안쌤카페 http://cafe.naver.com/xmrahrrhrhghkr(안쌤 영재교육연구소)

자율안전확인신고필증번호: B361H200-4001
1. 주소: 06153 서울특별시 강남구 봉은사로 442
2. 문의전화: 1588－6066
3. 제조년월: 2024년 1월
4. 제조국: 대한민국
5. 사용연령: 8세 이상
※ KC마크는 이 제품이 공통안전기준에 적합하였음을 의미합니다.

주의

종이, 모서리에 다칠 수 있으니 주의하세요!

안쌤의
창의적 문제해결력 시리즈

초등 1~2 학년

초등 3~4 학년

초등 5~6 학년

중등 1~2 학년